#하루에_조금씩
#쑥쑥_크는
#어휘력 #사고력

똑똑한
하루 어휘

Chunjae
Makes
Chunjae

▼

[똑똑한 하루 어휘] 4단계 A

편집개발	원명희, 박윤진
디자인총괄	김희정
표지디자인	윤순미, 안채리
내지디자인	박희춘, 이혜미
일러스트	이두원, 박기종
제작	황성진, 조규영

발행일	2021년 12월 15일 초판 2023년 1월 15일 2쇄
발행인	(주)천재교육
주소	서울시 금천구 가산로9길 54
신고번호	제2001-000018호
고객센터	1577-0902

※ 정답 분실 시에는 천재교육 교재 홈페이지에서 내려받으세요.

※ KC 마크는 이 제품이 공통안전기준에 적합하였음을 의미합니다.

※ 주의

책 모서리에 다칠 수 있으니 주의하시기 바랍니다.

부주의로 인한 사고의 경우 책임지지 않습니다.

8세 미만의 어린이는 부모님의 관리가 필요합니다.

똑 똑 한

하루 어휘

130여 개의 어휘를 공부해요!

하루하루 공부할 **어휘와 차례**

1주

2주

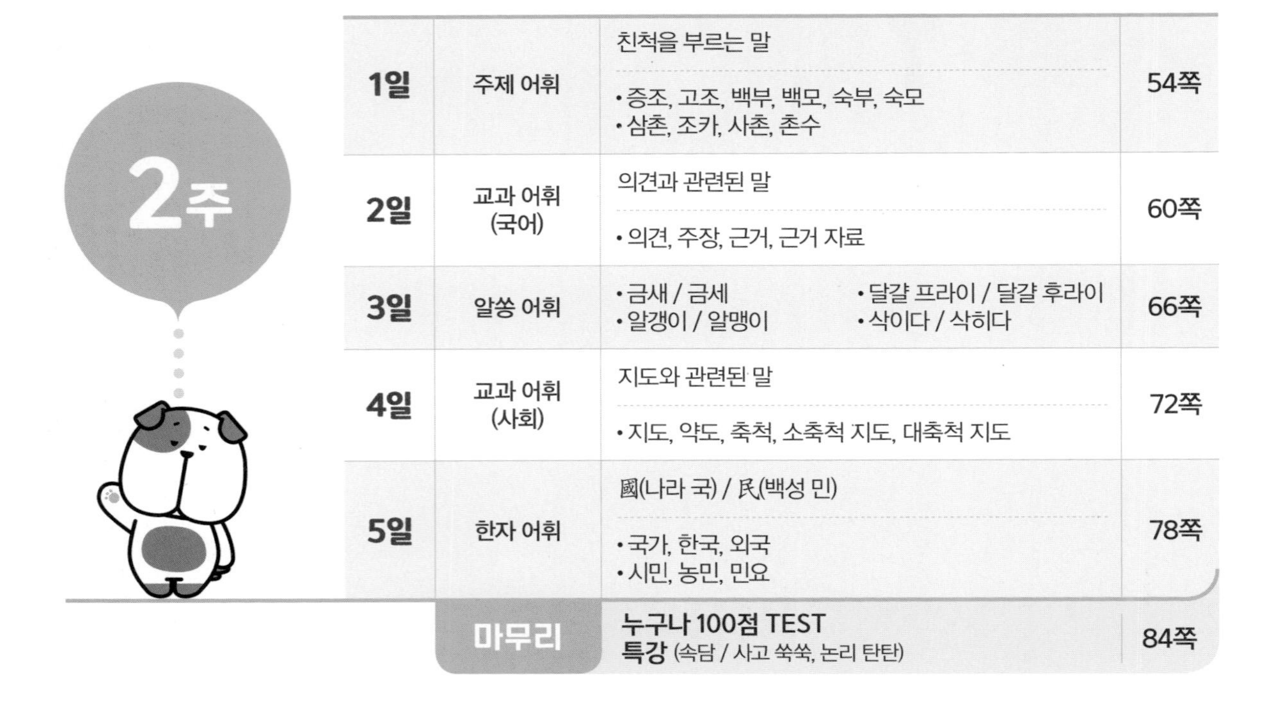

똑똑한 하루 어휘 ★4단계 A★

하루에 배우는 대표적인 어휘를 차례대로 정리했어요.
똑똑한 하루 어휘 4단계 A에서는 차례에 나온 어휘를 포함해서
총 130여 개의 어휘를 공부해요!
(172쪽 어휘 모음 참고)

3주

4주

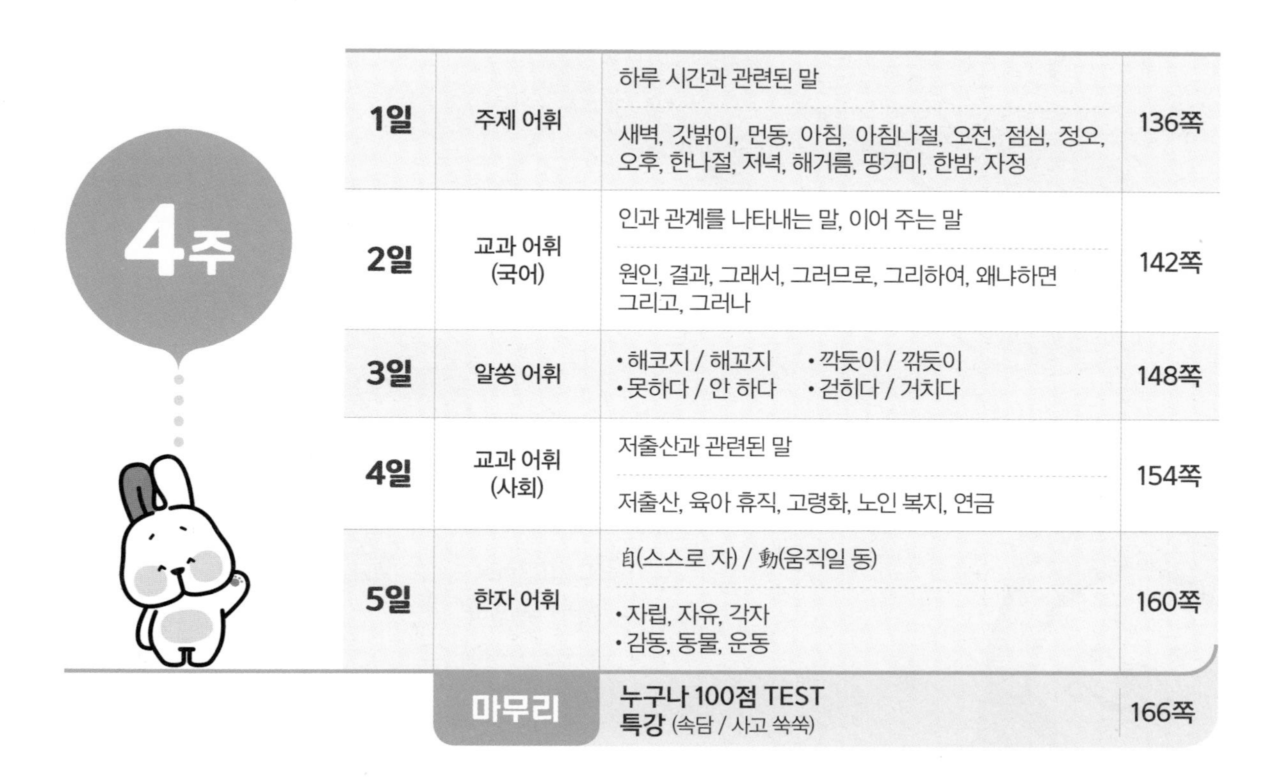

똑똑한 하루 어휘

어휘 공부,  중요할까요?

생각을 나타내는 게 말이에요.
생각을 할 때에도 말을 사용하지요. 말은 곧 생각이에요.

그런데 어휘는 말의 기본이에요.
어떤 뜻을 가지고 그것을 사용할 수 있는 가장 작은 단위가 어휘, 낱말이에요.
어휘는 말의 기본이므로, 어휘가 부족하면 생각을 나타내기 힘들어요.
마찬가지로 생각도 바르게 할 수 없어요.

어휘가 부족하면 생각도 자라지 않아요.
깊이 있는 생각은 풍부한 어휘력이 뒷받침해요.

똑똑한 하루 어휘 3·4단계 어휘 이해 과정

예 '날씨' → '강우'와 '강수'의 차이까지

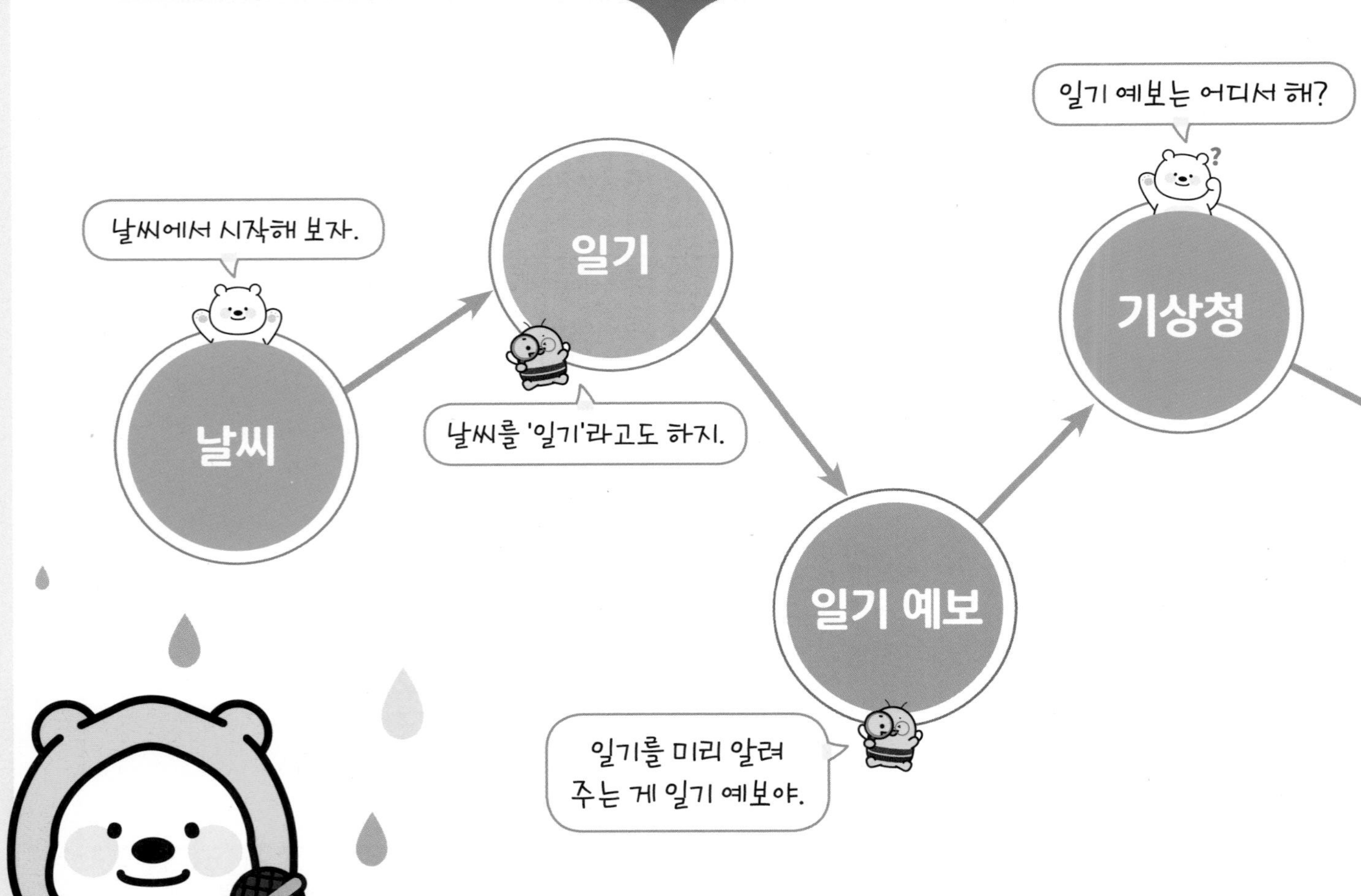

어휘 공부, 어떻게 해야 할까요?

어휘에는 '관계'가 있어요.
'책상'을 떠올리면 '의자'가 떠오르고, 책상과 의자가 어떻게 놓여 있는지 그림이 그려져요.
어휘는 '생각'이니까요.

책상과 의자가 있으니 '공부'를 하지요? 공부를 하는 것은 읽고, 쓰고, 배우는 것이고,
곧 공부라는 것이 무언가를 배우고 익힌다는 것과 비슷한 의미임을 알게 됩니다.
'책상'에서 시작해서 추상 어휘인 '공부'까지 꼬리를 물고 익히는 것.

똑똑한 하루 어휘는 이렇게 연상 어휘가 꼬리에 꼬리를 무는 학습 방법을 이용해서
아이들이 말의 감각을 키울 수 있게 하였어요.

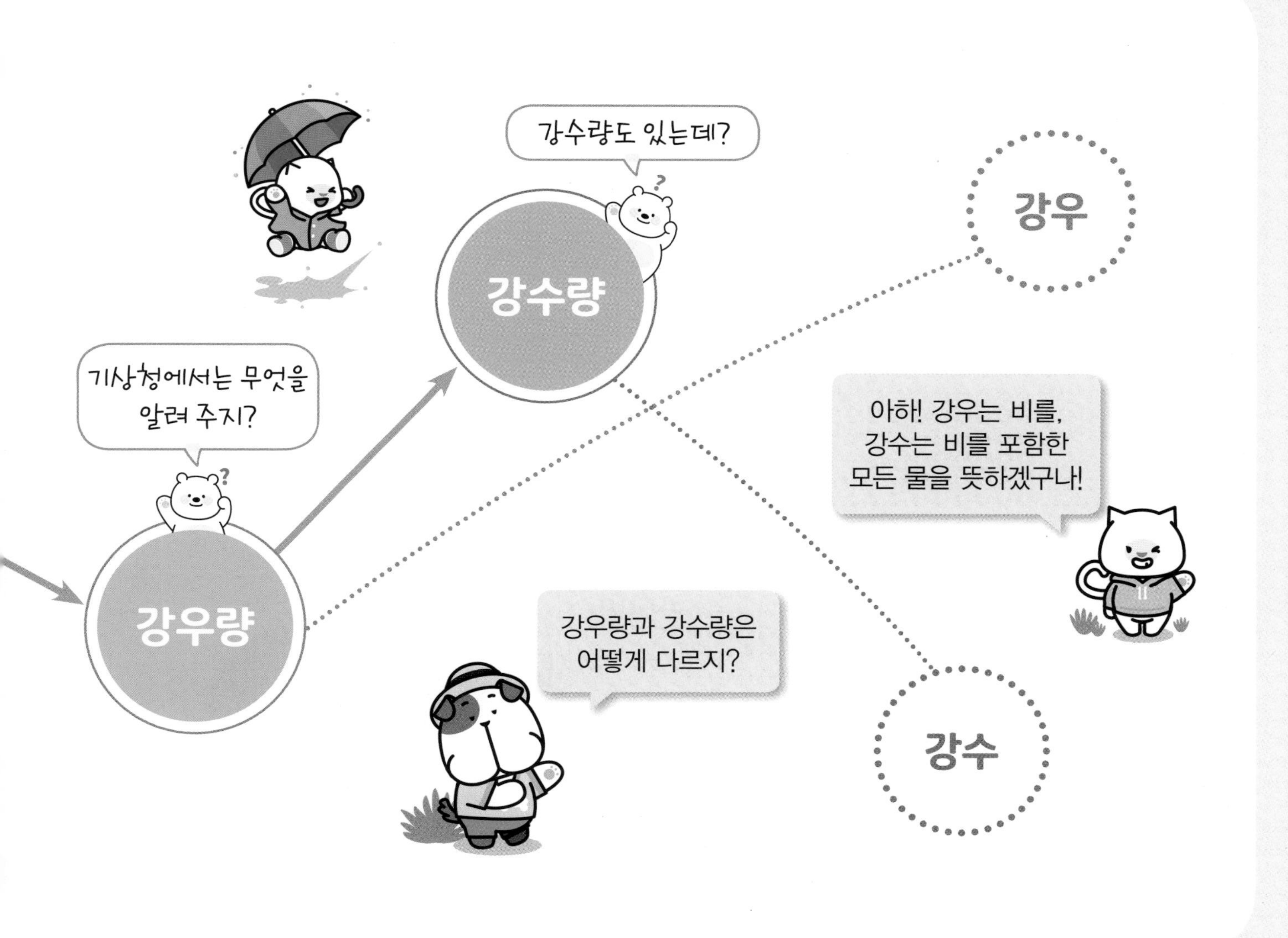

똑똑한 하루 어휘

어떤 어휘를 배우나요?

똑똑한 하루 어휘는 크게 네 가지 성격의 어휘를 배워요. 일상에서 자주 쓰는 말, 평소에 헷갈리기 쉬운 말, 학교 공부에 꼭 필요한 말, 그리고 우리말의 대부분을 차지하는 한자어까지! 생각의 바탕을 이루는 어휘 감각을 **똑똑한 하루 어휘**로 키울 수 있어요!

- 재미있는 만화와 함께 어휘를 공부해요!

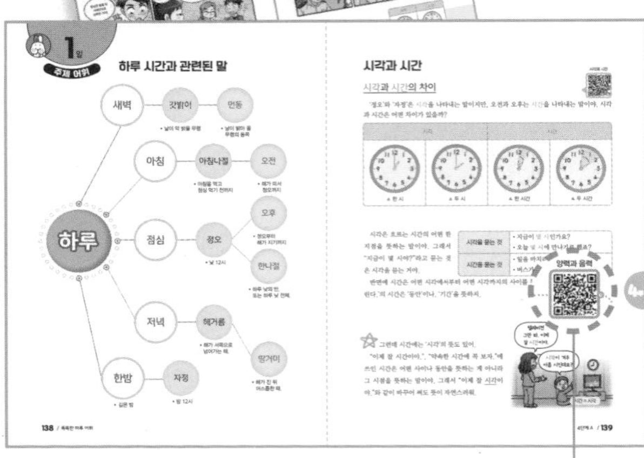

마인드맵

주제별 연상 어휘를 떠올리며 재미있게!

- 생활 속 어휘
- 자주 쓰지만 정확히 모르는 어휘
- 말의 재미를 높여 주는 어휘

QR코드로 더 자세히 공부할 수 있어요!

주제 어휘

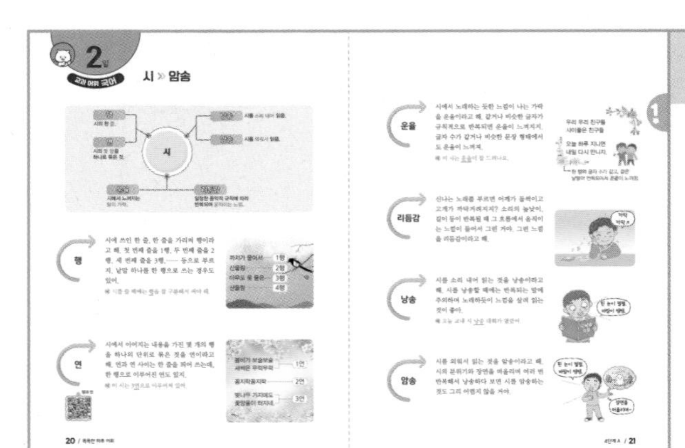

꼬리물기

쉬운 어휘부터 개념 어휘까지 꼬리물기 학습으로 쉽게 쉽게!

- 교과목 중요 어휘
- 국어 문법 관련 어휘
- 사회 • 과학 기초 어휘

교과 어휘

(국어 / 사회·과학)

똑똑한 하루 어휘를 함께할 친구들

경비원

강 팀장

김 사원

밀랍 인형들

연두

세계 밀랍 인형 박물관에서 일하는 김 사원의 조카예요. 밤이 되면 살아서 움직이는 밀랍 인형들과 재미있는 사건들을 만들어 나가요.

알쏭 어휘

Q&A

헷갈리는 어휘에 대해 궁금한 점은 질문과 대답으로 한눈에!

- 헷갈리는 말
- 뜻에 따라 쓰임이 다른 말
- 잘못 표기하기 쉬운 말

한자 어휘

한자 쓰기

대표 한자와 연관 한자어를 통해 한자의 뜻과 쓰임이 머리에 쏙쏙!

- 자주 쓰는 한자 어휘
- 한자어의 감각을 익힐 수 있는 어휘

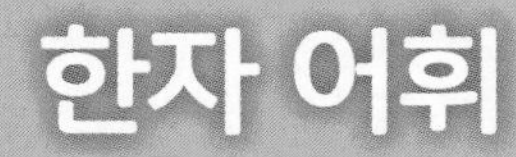

1주 1주에는 무엇을 공부할까? 1

1일 주제 어휘 > 얼굴과 관련된 말

이마
콧등
인중
관자놀이
뺨
볼
보조개

2일 교과 어휘 국어 > 시와 관련된 말

행
연
운율
리듬감
낭송
암송

3일 알쏭 어휘 > 하마터면 / 하마트면…

하마터면 / 하마트면
며칠 / 몇일
좇다 / 쫓다
세다 / 새다 / 새우다

4일 교과 어휘 과학 > 지표와 관련된 말

지표
침식
퇴적
지층
화석

나는 공룡 뼈 화석, 나를 환영하라!
여기가 아니구나.
크릉
밀랍 인형 박물관
자연사 박물관은 저쪽.
여기는 밀랍 인형 박물관.

5일 한자 어휘 > 地 땅 지 圖 그림 도

지진
지역
오지
도장
도형
도서

짐의 도장인 옥새가 없어졌구나.
오, 완전 잘 깨져.
쾅

'엎어지면 코 닿을 데'는 무슨 뜻일까?

1주에는 무엇을 공부할까? ②

얼굴과 관련된 말

다음 그림을 보고 알맞은 낱말에 ○표 하세요.

어머니께서 아이의 { 뺨 / 이마 }에 뽀뽀하시다.

[과학] 지표와 관련된 말

다음을 보고 빈칸에 알맞은 낱말을 쓰세요.

우리나라에서 공룡 발자국 ☐☐이 발견되었습니다.

뜻: 지층을 이루는 암석 속에 아주 오랜 옛날에 살았던 생물의 몸체나 생물이 생활한 흔적이 남아 있는 것.

◐ 정답과 풀이 1쪽

地 땅 지

다음을 보고 관련된 현상은 무엇인지 쓰세요.

뜻: 땅이 흔들리는 현상. 이 현상 때문에 도로가 갈라지거나 집이 무너지기도 함.

며칠 / 몇일

다음 그림을 보고 (　　) 안의 알맞은 낱말에 ○표 하세요.

태어난 지 (며칠 / 몇일)이 안 된 강아지를 소중하게 안았다.

얼굴과 관련된 말

오늘의 어휘

얼굴과 관련된 말

콧등: 코의 등성이.

뺨: 관자놀이에서 턱 위까지의 살이 많은 부분.

오늘의 어휘

얼굴과 관련된 말

눈망울: 눈알 앞쪽의 도톰한 곳. 또는 눈동자가 있는 곳.

보조개: 뺨에서 오목하게 들어간 부분.

얼굴과 관련된 말

우리 얼굴에는 많은 어휘가 숨어 있어. 몇 번 들어 본 말이지만 정확히 어떤 뜻인지 몰랐던 말들을 알아볼까?

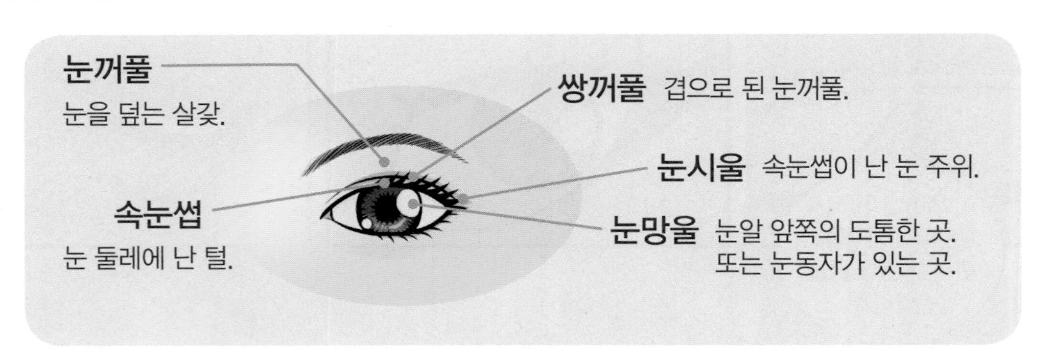

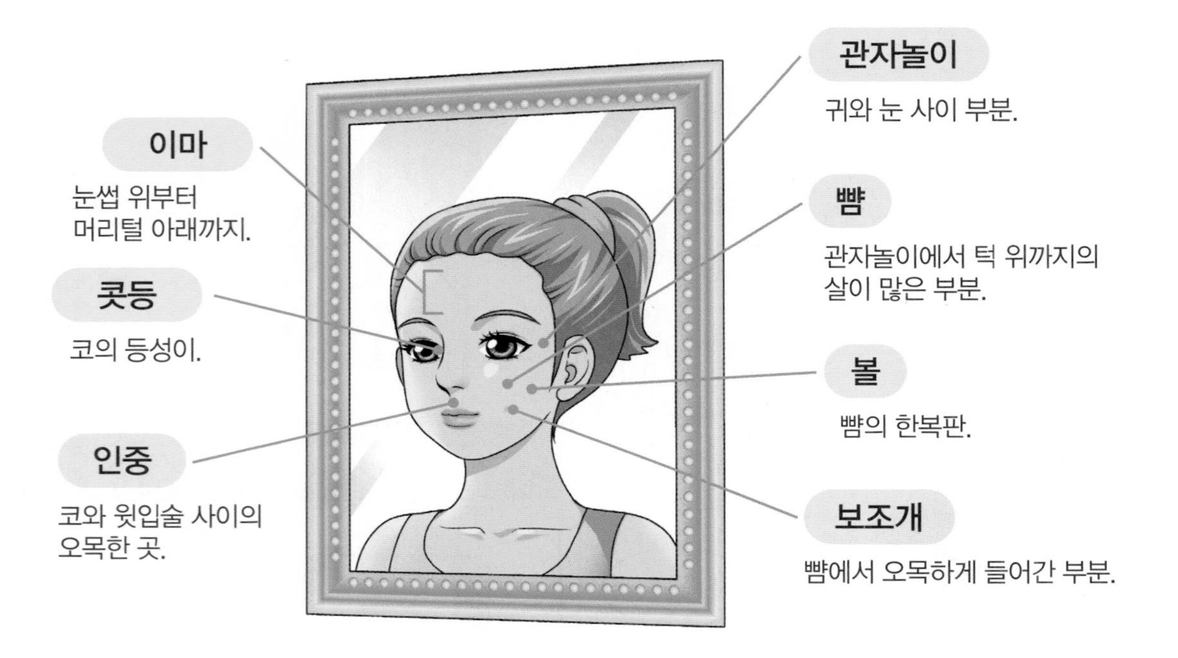

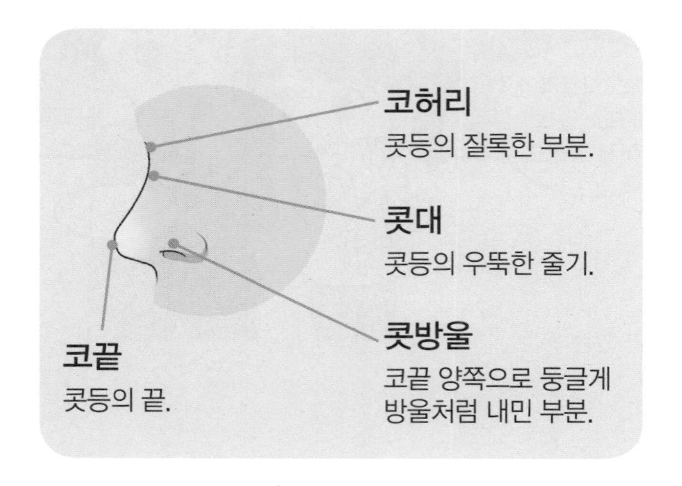

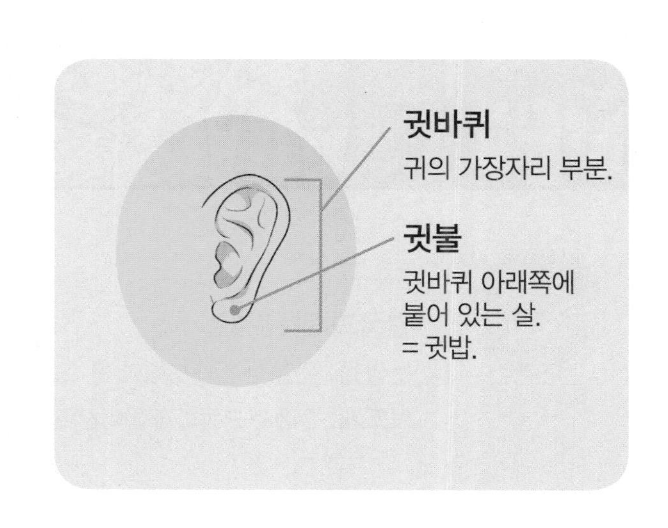

눈, 코, 입과 관련된 속담을 알아보자.

눈은 풍년이나 입은 흉년이다

풍년은 농사가 잘된 해, 흉년은 농사가 잘 안되어 먹을 것이 없는 해야. 눈으로 보는 것은 풍족하고 많지만, 입으로 들어갈 것은 별로 없다는 뜻이지. 그래서 눈에 보이는 것은 많아도 정작 먹을 것은 없음을 이르는 속담이야.

눈이 아무리 밝아도 제 코는 안 보인다

눈이 아무리 좋아도 자신의 코는 보기가 어렵지? 자신의 코는 안 보이는 것처럼, 제아무리 똑똑해도 자기 자신에 대해서는 잘 모른다는 뜻을 가진 속담이야.

입이 광주리만 해도 말 못 한다

광주리는 대나무나 싸리로 만든 커다란 바구니야. 광주리만큼 큰 입이라도 말을 못 한다는 의미로, 잘못이 드러나 변명의 여지가 없다는 뜻으로 쓰이는 속담이야.

▲ 광주리

1일

기초 집중연습

1 다음 중 '얼굴'과 관련된 낱말의 쓰임이 어색한 것은 어느 것입니까? ( )

① 추워서 귓불이 빨개졌다.
② 감기가 들어 콧방울이 나왔다.
③ 두통이 있어서 관자놀이가 욱신거렸다.
④ 슬픈 영화를 보다가 눈시울이 뜨거워졌다.
⑤ 하윤이는 웃으면 양 볼에 보조개가 쏙 들어간다.

2 다음 빈칸에 들어갈 낱말로 알맞은 것을 선으로 이으시오.

(1) 슬픈 마음에 ( )이 붉어졌다. •

(2) ( )을 타고 콧물이 줄줄 흐르네요. •

(3) 아이들의 초롱초롱한 ( )을 보세요. •

• ① 인중

• ② 눈망울

• ③ 눈시울

3 다음 속담의 뜻을 보고 빈칸에 들어갈 알맞은 낱말을 쓰시오.

(1) 눈으로 보는 것은 풍족하고 많지만, 입으로 들어갈 것은 별로 없다.

➔ ( )은 풍년이나 ( )은 흉년이다.

(2) 제아무리 똑똑해도 자기 자신에 대해서는 잘 모른다.

➔ ( )이 아무리 밝아도 제 ( )는 안 보인다.

◐ 정답과 풀이 1쪽

4 **다음에서 설명하는 낱말을 말 상자에서 찾아 모두 ○표 하시오. 말 상자의 낱말은 가로, 세로, 대각선에 숨어 있습니다.**

1. 귀와 눈 사이 부분.
2. 속눈썹이 난 눈 주위.
3. 귓바퀴 아래쪽에 붙어 있는 살.
4. 뺨에서 오목하게 들어간 부분.
5. 코와 윗입술 사이의 오목한 곳.
6. 콧등의 잘록한 부분. ⓔ ○○○에 돋보기를 걸치다.

시와 관련된 말

오늘의 어휘

행과 연

"뾰, 뾰, 뾰 — 1행
엄마 젖 좀 주" — 2행

1행, 2행 → 1연 — **연**: 행을 묶은 것

행: 시에 쓰인 한 줄

오늘의 어휘

낭송과 암송

낭송: 시를 소리 내어 읽는 것.

암송: 시를 외워서 읽는 것.

시 » 암송

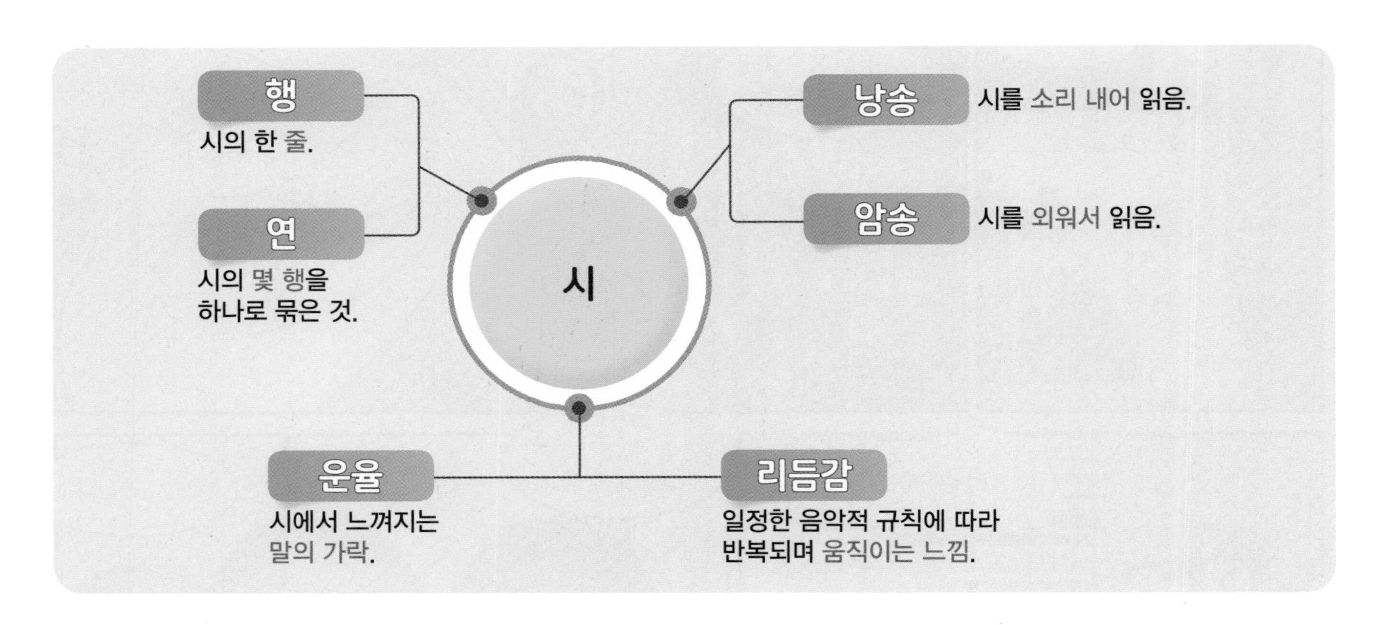

행

시에 쓰인 한 줄, 한 줄을 가리켜 행이라고 해. 첫 번째 줄을 1행, 두 번째 줄을 2행, 세 번째 줄을 3행,······ 등으로 부르지. 낱말 하나를 한 행으로 쓰는 경우도 있어.

예 시를 쓸 때에는 행을 잘 구분해서 써야 해.

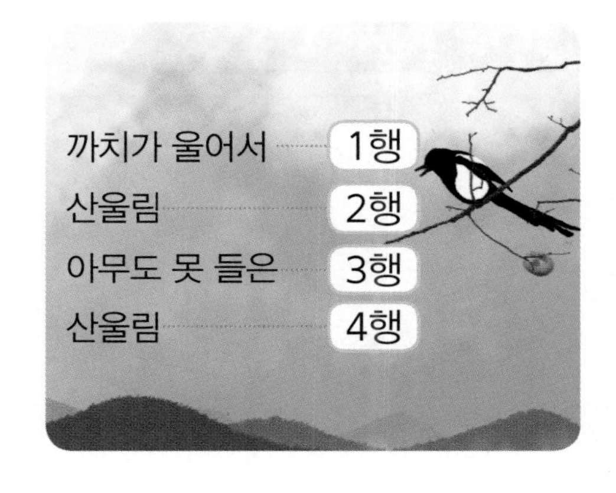

연

시에서 이어지는 내용을 가진 몇 개의 행을 하나의 단위로 묶은 것을 연이라고 해. 연과 연 사이는 한 줄을 띄어 쓰는데, 한 행으로 이루어진 연도 있지.

예 이 시는 3연으로 이루어져 있어.

행과 연

운율

시에서 노래하는 듯한 느낌이 나는 가락을 운율이라고 해. 같거나 비슷한 글자가 규칙적으로 반복되면 운율이 느껴지지. 글자 수가 같거나 비슷한 문장 형태에서도 운율이 느껴져.

예 이 시는 운율이 잘 드러나요.

우리 우리 친구들
사이좋은 친구들

오늘 하루 지나면
내일 다시 만나자.

→ 한 행의 글자 수가 같고, 같은 낱말이 반복되어서 운율이 느껴짐.

리듬감

신나는 노래를 부르면 어깨가 들썩이고 고개가 까닥거려지지? 소리의 높낮이, 길이 등이 반복될 때 그 흐름에서 움직이는 느낌이 들어서 그런 거야. 그런 느낌을 리듬감이라고 해.

낭송

시를 소리 내어 읽는 것을 낭송이라고 해. 시를 낭송할 때에는 반복되는 말에 주의하며 노래하듯이 느낌을 살려 읽는 것이 좋아.

예 오늘 교내 시 낭송 대회가 열렸어.

암송

시를 외워서 읽는 것을 암송이라고 해. 시의 분위기와 장면을 떠올리며 여러 번 반복해서 낭송하다 보면 시를 암송하는 것도 그리 어렵지 않을 거야.

1 다음 ㉠ 과 ㉡ 에 들어갈 말이 알맞게 짝 지어진 것은 무엇입니까? ······ (　　　)

> 시나 문장 등을 소리 내어 읽는 것을 ㉠ 이라고 하고, 보지 않고 외워서 읽는 것을 ㉡ 이라고 한다.

	㉠ - ㉡		㉠ - ㉡
①	암송 - 낭송	②	낭송 - 암송
③	낭독 - 낭송	④	노송 - 암송
⑤	독서 - 암송		

2 다음 내용에 알맞은 말을 선으로 이으시오.

(1) 시의 한 줄. •　　　　• ① 연

(2) 시의 몇 행을 하나로 묶은 것. •　　　　• ② 행

3 다음 빈칸에 들어갈 알맞은 말은 무엇입니까? ······ (　　　)

> 시에서 소리의 높낮이, 길이 등이 반복될 때 그 흐름에서 움직이는 느낌이 드는 것을 [　　　] 이라고 한다.

① 감정　② 활동　③ 표현력　④ 운동감　⑤ 리듬감

4 '운율'에 대한 설명으로 알맞은 것은 어느 것입니까? ······ (　　　)

① 시에 쓰인 낱말.
② 시를 마음속으로 읽는 것.
③ 시에 곡을 붙여서 만든 노래.
④ 시에서 노래하는 듯한 느낌이 나는 가락.
⑤ 시에 쓰인 낱말을 다른 것에 빗대어 나타낸 것.

5 글자를 골라 뜻에 알맞은 어휘를 쓰시오.

(1)

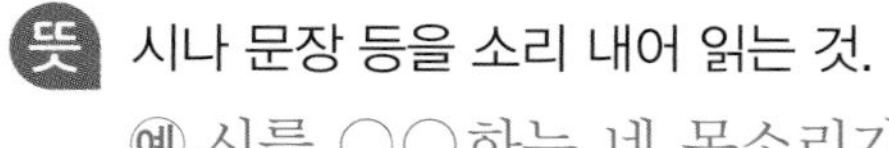

뜻 시나 문장 등을 소리 내어 읽는 것.

예 시를 ○○하는 네 목소리가 정말 곱구나.

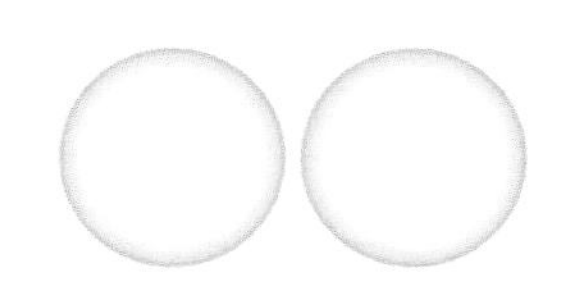

(2)

알	송	달	잠	문
숭	약	건	암	홍

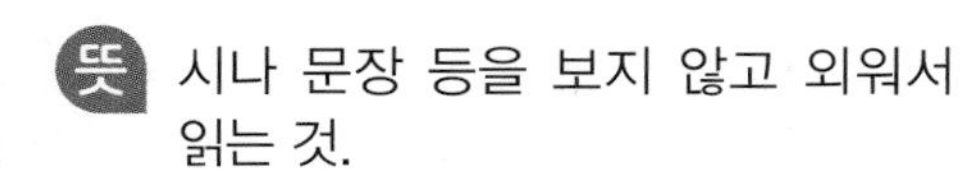

뜻 시나 문장 등을 보지 않고 외워서 읽는 것.

예 이 시를 보지 않고 ○○할 수 있니?

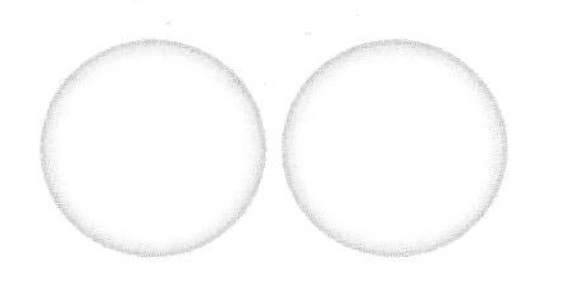

(3)

룰	온	검	빙	물
율	방	딴	동	운

뜻 시에서 노래하는 듯한 느낌이 나는 가락.

예 이 시를 ○○에 맞추어 낭송해 보자.

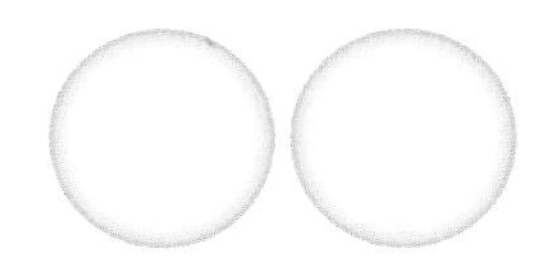

(4)

기	용	난	감	생
궁	리	금	시	듬

뜻 소리의 높낮이, 길이 등이 반복될 때 그 흐름에서 느껴지는 움직이는 느낌.

예 이 노래에서 신나는 ○○○ 이 느껴져.

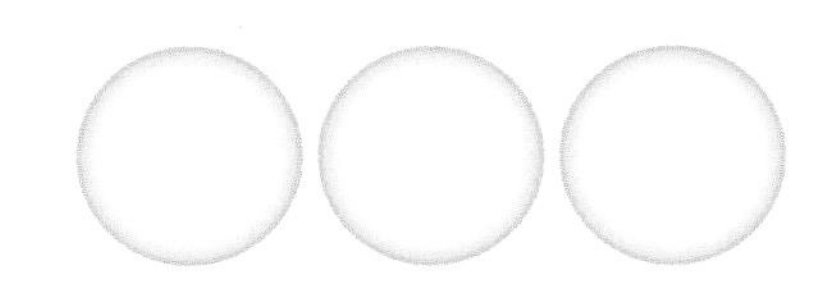

❶ 하마터면 / 하마트면

Q 하마터면이 맞을까요, 하마트면이 맞을까요?

A 하마터면 (○)

'하마터면'은 위험한 상황을 겨우 벗어났을 때에 쓰는 말이에요. 조금만 잘못하였더라면 이라는 뜻으로 쓰이지요. '하마터면'을 '하마트면'이라고 잘못 알고 있는 경우가 많은데, '하마터면'이라고 쓰고 읽어야 해요.

❷ 며칠 / 몇일

Q 며칠 동안일까요, 몇일 동안일까요?

A 며칠 동안(○)

그달의 몇째 되는 날이나 몇 날을 뜻하는 말은 '며칠'이라고 써야 해요. 예를 들어 "오늘이 몇 월 며칠이야?" 또는 "며칠 동안 카레만 먹었어."와 같이 쓰는 것이지요. 보통 '몇일'이라고 잘못 쓰는 경우가 많은데, '몇일'로 쓰는 경우는 없고 항상 '며칠'로만 써야 해요.

③ 좇다 / 쫓다

Q 행복을 좇아야 할까요, 쫓아야 할까요?

A 행복을 좇다 (○) / 자라가 토끼를 쫓다 (○)

목표, 꿈, 행복 따위를 추구하다라는 뜻에는 '좇다'를 쓰고, 서둘러 뒤를 따라가다라는 뜻에는 '쫓다'를 써요. 행복은 추구하는 것이니까 '행복을 좇다.'가 맞는 표현이에요.

㉠ 선생님의 뜻을 좇아 봉사하며 살게요.
사냥꾼이 멧돼지를 쫓다.

④ 세다 / 새다 / 새우다

Q 돈을 세다가 날 샐까요, 새울까요?

A 돈 세다 (○) / 날 새다 (○) / 밤을 새우다 (○)

'세다'는 낱낱의 수를 헤아리거나 꼽다라는 뜻으로 "돈을 세다."와 같이 쓰지요. '새다'는 날이 밝아 오다라는 뜻으로 목적어 없이 '날이 새다.', '밤이 새다.'와 같이 쓰여요. 그리고 '새우다'는 한숨도 자지 않고 밤을 지내다라는 뜻으로 주로 '밤'을 목적어로 하여 쓰이지요.

3일
기초 집중연습

1 다음 밑줄 그은 낱말을 바르게 고쳐 쓰시오.

(1) 경찰이 도둑을 좆는다.

(2) 조심해! 하마트면 넘어질 뻔했잖아.

2 다음 밑줄 그은 말 중에서 바르게 쓰인 낱말에 모두 ○표 하시오.

(1) 오늘이 몇 월 며칠입니까?	
(2) 몇일만 더 있으면 겨울 방학이야.	
(3) 이곳에 며칠 동안 있을 예정인가요?	

3 밑줄 그은 말이 다음과 같은 뜻을 가진 것에 ○표 하시오.

목표, 꿈, 행복 따위를 추구하다.

(1) 걸음이 빠른 형의 뒤를 쫓아 부지런히 달려갔다. ( )
(2) 게임 개발자가 되겠다는 꿈을 좇아 열심히 노력할 거예요. ( )

4 다음 중 밑줄 그은 말이 바르게 쓰이지 않은 문장은 어느 것입니까? ( )

① 운동장에 모인 친구들의 수를 셌다.
② 나는 어제 책을 읽느라고 밤을 샜다.
③ 어느덧 날이 새는지 창밖이 밝아 왔다.
④ 우리는 그날 밤이 새도록 이야기를 나누었다.
⑤ 슬비는 어제도 밤을 새웠는지 책상에 앉아 졸고 있다.

5 알맞은 표현에 ○표 하시오.

(1) 무서운 영화를 본 날 잠이 오지 않아서 밤을 꼬박 샜어. (　　)

(2) 밤이 새도록 일을 해도 내일까지 다 못하겠다. (　　)

6 다음 첫소리와 가로, 세로 열쇠를 보고 빈칸에 알맞은 낱말을 써넣으시오.

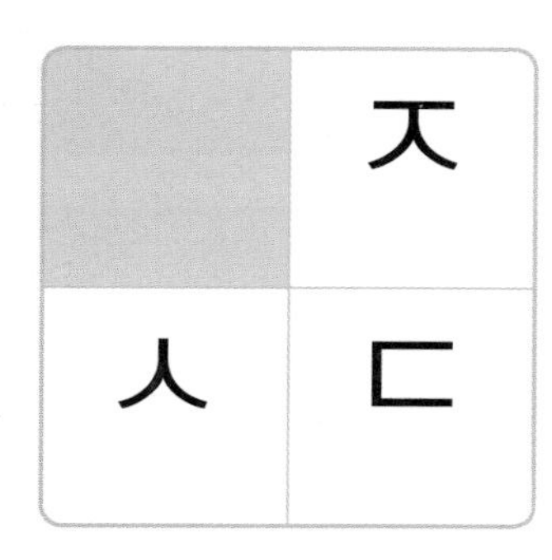

⬇ 세로
어떤 목표나 이상을 추구하고 바라다.
예 가수가 되려는 꿈을 ○○.

➜ 가로
낱낱의 수를 헤아리거나 꼽다.
예 1부터 10까지 천천히 ○○.

7 글자를 골라 뜻에 알맞은 낱말을 쓰시오.

(1)

뜻 그달의 몇째 되는 날. 몇 날.
예 ○○ 동안 비가 계속 내려서 땅이 질척하다.

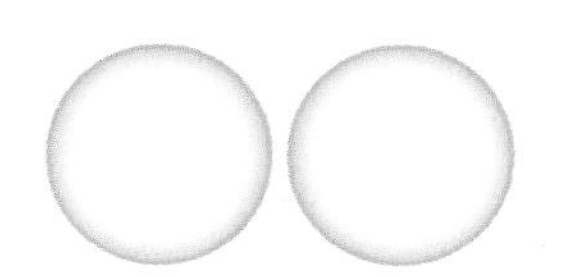

(2)

뜻 조금만 잘못하였더라면.
예 장난을 치다가 ○○○○ 철봉에서 떨어질 뻔했다.

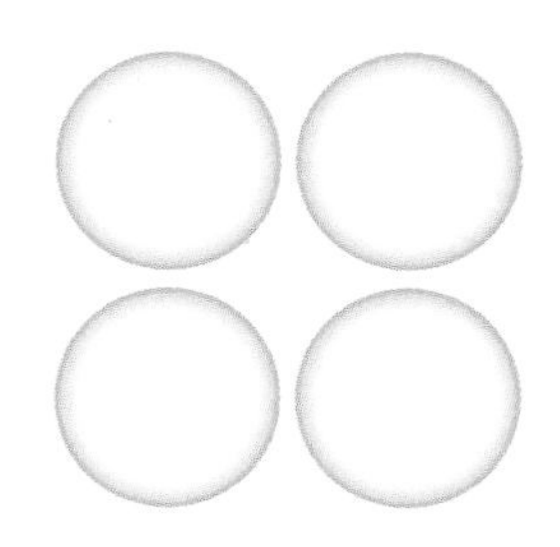

지표와 관련된 말

오늘의 어휘

지표의 변화

침식: 지표의 바위나 돌, 흙 등이 깎여 나가는 것. → 운반: 물이나 바람 등에 의해 흙, 돌 등이 옮겨지는 것. → 퇴적: 운반된 흙이나 돌이 쌓이는 것.

오늘의 어휘

화석

지층을 이루는 암석 속에 아주 오랜 옛날에 살았던 생물의 몸체나 생물이 생활한 흔적이 남아 있는 것.

지표 » 화석

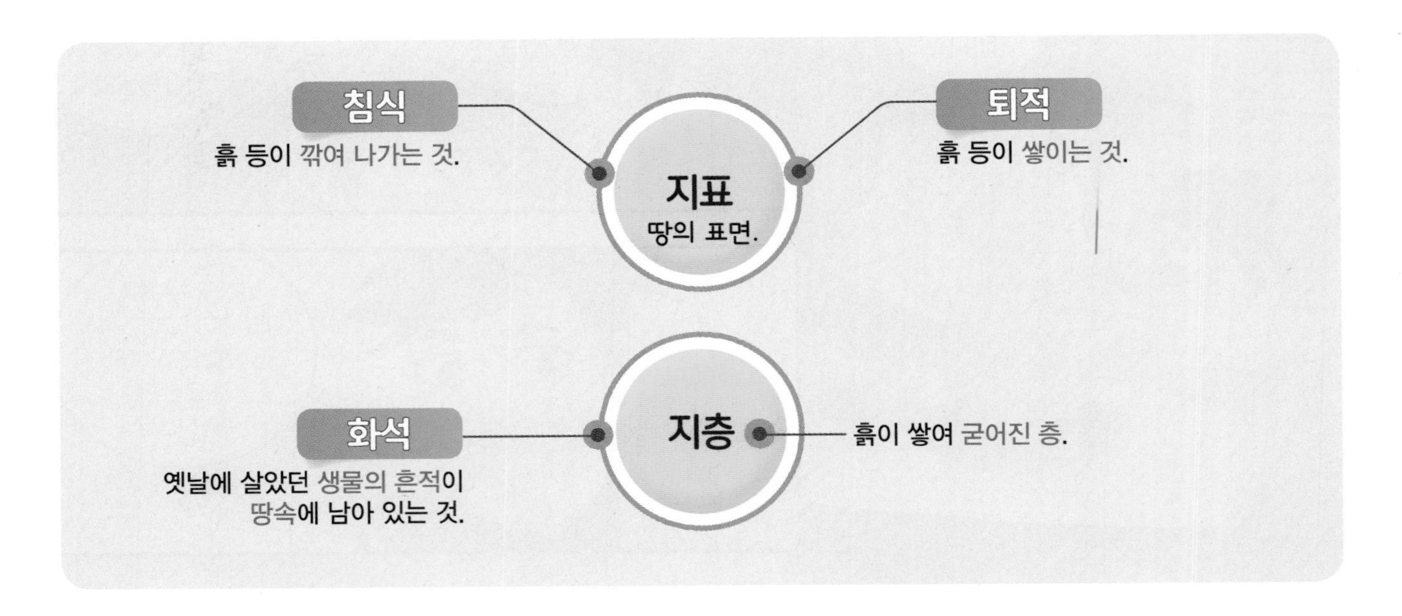

지표

지구의 표면

땅의 표면을 '지표'라고 해. 지표는 주로 흙, 바위, 돌 등으로 이루어져 있어. 지표는 흐르는 물이나 빗물에 의해 끊임없이 그 생김새가 바뀌고 있지.

▲ 비가 내린 뒤 변화된 지표의 모습

지표는 어떻게 변할까?

침식

지표의 바위나 돌, 흙 등이 깎여 나가는 것을 '침식'이라고 해. 흐르는 물이나 세찬 바람이 바위나 돌, 흙을 조금씩 깎아 내는 거야. 침식 작용으로 산의 골짜기도 생기고 바닷가 절벽도 생기고 지표의 모습을 계속 변화시키지.

▲ 흐르는 물의 침식 작용으로 만들어진 골짜기

침식 작용으로 깎인 흙은 어떻게 될까?

퇴적

흐르는 물은 바위나 돌, 흙을 깎고 여기서 깎인 작은 돌과 흙은 강 하류에 모여 쌓이게 돼. 이렇게 운반된 돌이나 흙이 쌓이는 것을 '퇴적'이라고 해. 강 하류에 있는 넓은 벌판이나 바닷가에 있는 모래밭이나 갯벌은 이러한 퇴적 작용에 의해 만들어진 거야.

▲ 퇴적 작용으로 만들어진 모래밭

1주

퇴적 작용으로 쌓인 흙은 어떻게 될까?

지층

물이 운반한 자갈, 모래, 진흙 등이 퇴적되어 쌓인 뒤에 오랜 시간에 걸쳐 단단하게 굳어져 층을 이루고 있는 것을 지층이라고 해. 지층은 땅 위로 솟아오른 뒤 깎여서 보이기도 하는데, 산기슭이나 바닷가 절벽에서 여러 가지 모양의 지층을 볼 수 있어.

▲ 바닷가에서 볼 수 있는 지층

지층 속에서 발견되는 것은 무엇일까?

화석

지층을 이루는 암석 속에는 아주 오랜 옛날에 살았던 생물의 몸체나 생물이 생활한 흔적이 남아 있기도 하는데 이것을 '화석'이라고 해. 공룡 뼈 화석, 공룡 발자국 화석 등 다양한 것이 발견되고 있어.

▲ 물고기 화석

▲ 공룡 발자국 화석

화석

1 다음 빈칸에 들어갈 알맞은 말을 보기 에서 찾아 기호를 쓰시오.

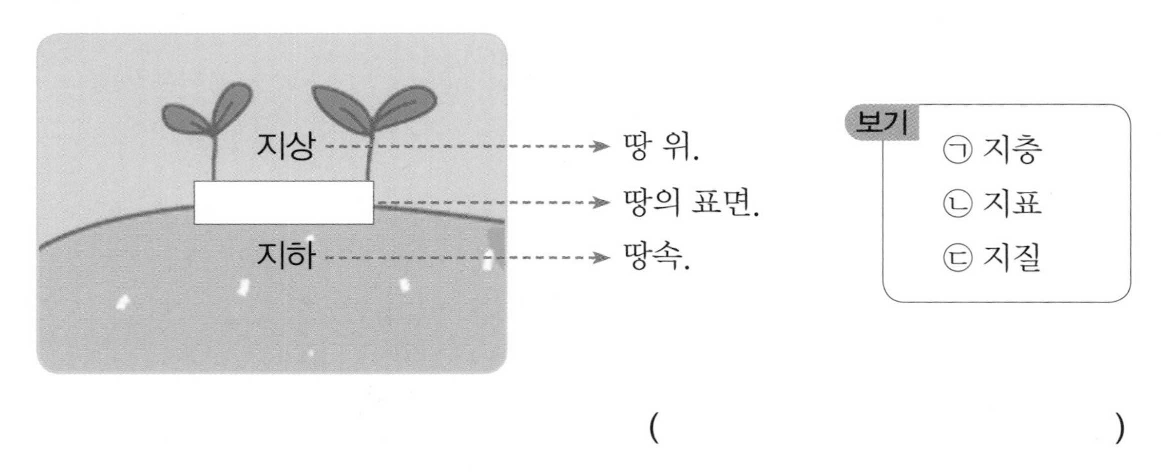

보기
㉠ 지층
㉡ 지표
㉢ 지질

( )

2 다음은 지표가 변하는 것과 관련된 작용입니다. 첫 자음자와 뜻을 살펴보고 ❶과 ❷에 들어갈 알맞은 낱말을 쓰시오.

❶ ㅊ ㅅ: 지표의 바위나 돌, 흙 등이 깎여 나가는 것.

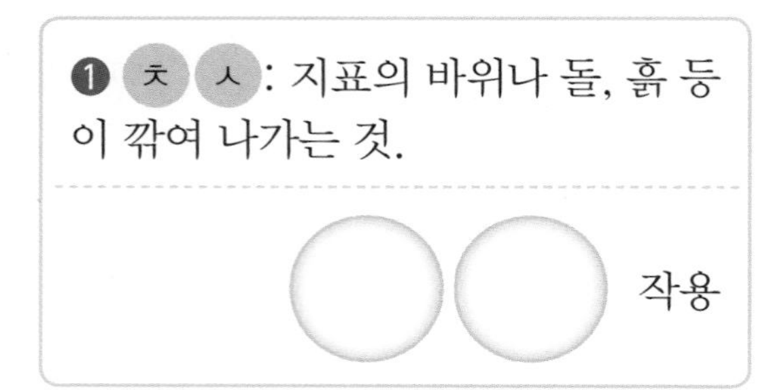

❷ ㅌ ㅈ: 흐르는 물 등에 의해 운반된 돌이나 흙이 쌓이는 것.

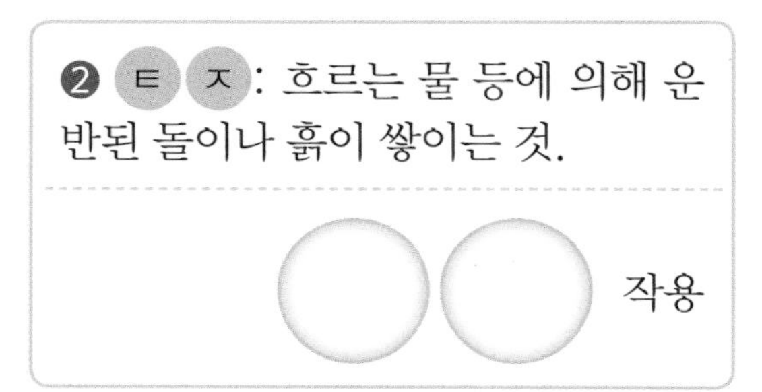

3 다음 그림과 설명에 알맞은 말은 무엇입니까? ( )

아주 오랜 옛날에 살았던 생물의 몸체나 생물이 생활한 흔적이 지층을 이루는 암석 속에 남아 있는 것.

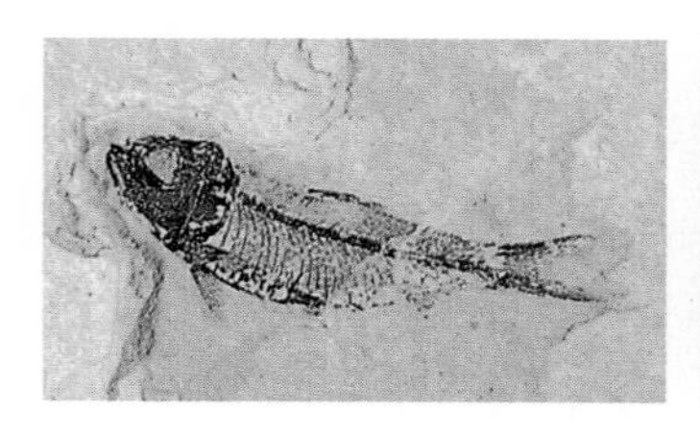

① 화산 ② 화석 ③ 진화 ④ 암석 ⑤ 화전

4 다음 십자말풀이를 해 보시오.

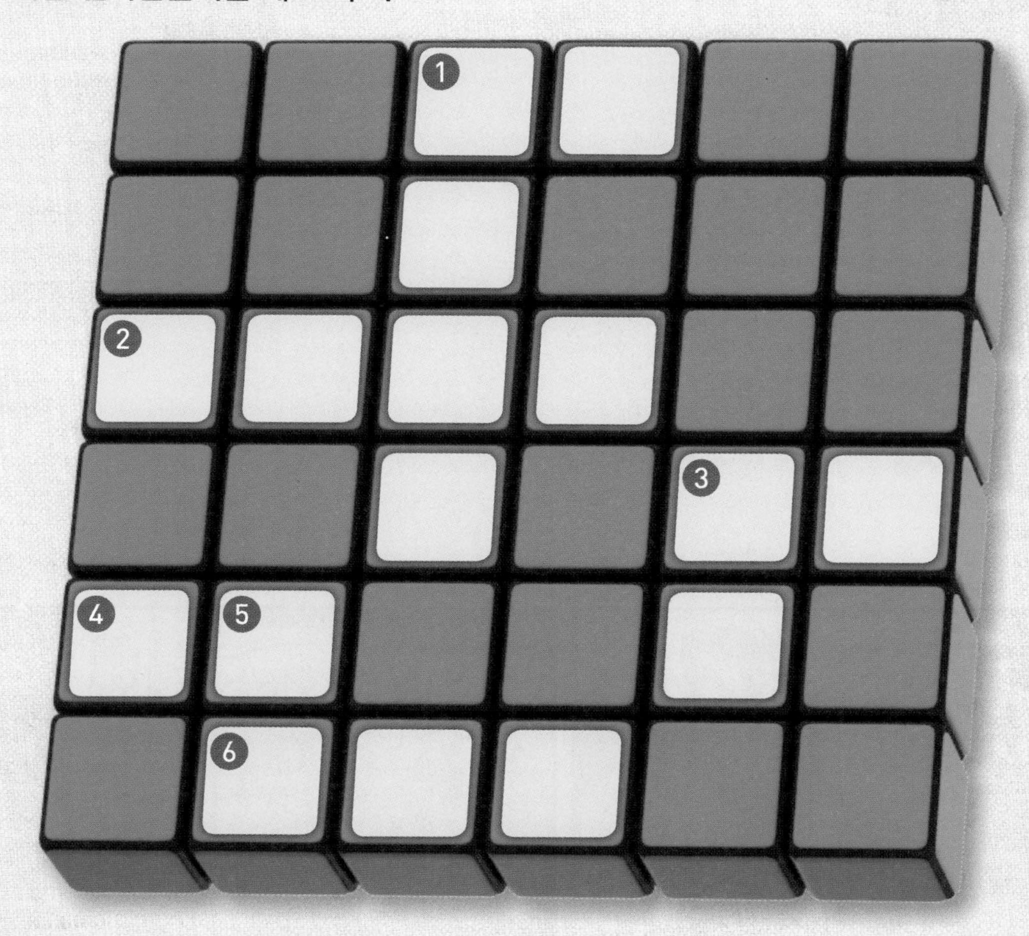

가로

❶ 일정 기간 병원에 머물던 환자가 병원에서 나옴. 반 입원
❷ 지표의 바위나 돌, 흙 등이 깎여 나가는 작용.
❸ 땅의 표면.
❹ 옛날에 살았던 생물의 몸체나 생물이 생활한 흔적이 암석이나 지층 속에 남아 있는 것.
❻ 이를 닦고 물로 입 안을 씻어 내는 일. ㅇㅊㅈ

세로

❶ 흐르는 물 등에 의해 운반된 돌이나 흙이 쌓이는 작용.
❸ 자갈, 모래, 진흙 등이 퇴적되어 쌓인 뒤에 오랜 시간에 걸쳐 단단하게 굳어져 층을 이루고 있는 것.
❺ 저녁때의 햇빛. 또는 저녁때의 지는 해. 예 산 너머 붉게 타는 ㅅㅇ을 바라보았다.

地가 들어간 말

물을 담는 주전자를 그린 也(야) 자에 土(흙 토) 자를 합친 것으로, 흙과 물이 있는 **땅**을 표현하고 있어요.

땅 지

급수 I 7급 부수 I 土 획수 I 총 6획

地 땅 지

 천천히 따라 쓰세요.

지진 땅이 흔들리는 현상.

- **지진**이 일어나서 도로가 갈라졌습니다.

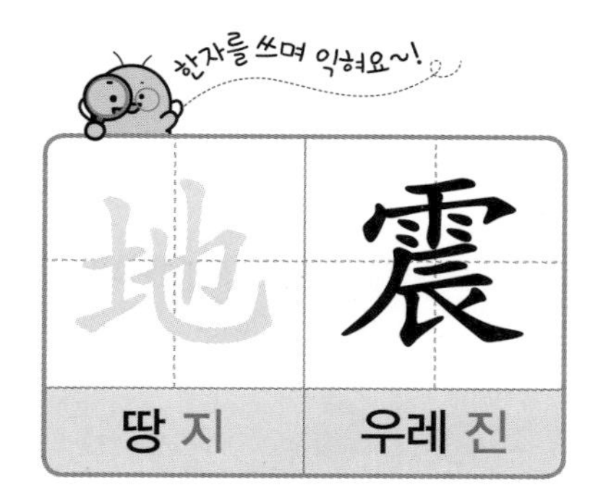

지역 기준에 따라 범위를 나눈 땅.

- 이곳이 내가 사는 **지역**입니다.

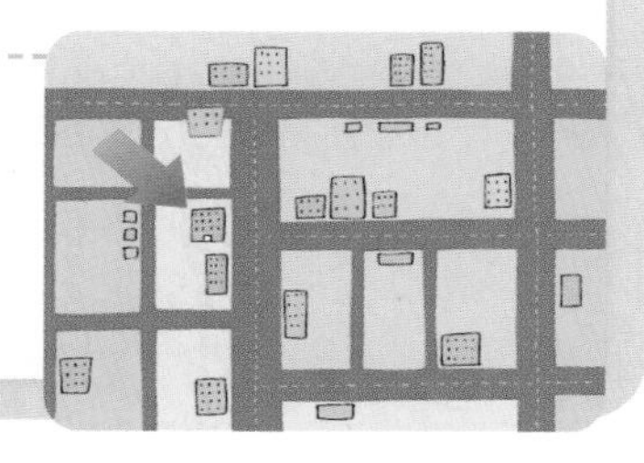

오지 도시에서 멀리 떨어진 땅.

- 아프리카 대륙 오지 탐험.

圖가 들어간 말

圖

그림 도

변방(나라의 경계가 되는 변두리의 땅) 지역을 뜻하는 啚(비) 자에 囗(위) 자를 더한 것으로 **지도**라는 뜻을 가지고 있어요.

급수 | 6급 부수 | 囗 획수 | 총 14획

그림 도

천천히 따라 쓰세요.

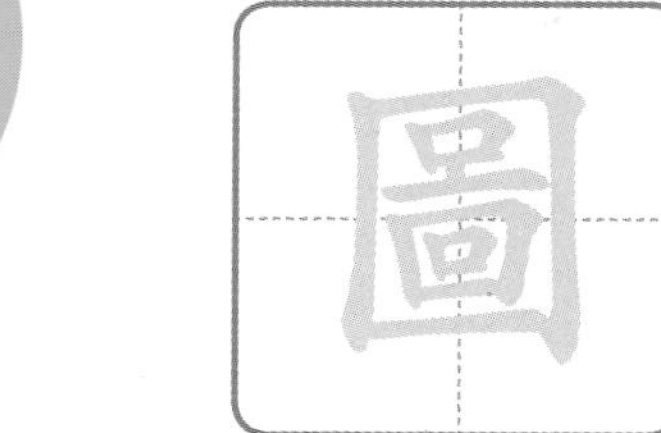

1주

도장 이름을 나무나 돌 따위에 새겨 찍도록 만든 물건.

- 서류에 **도장**을 찍었습니다.

도형 수학에서 점이나 선, 면 따위로 이루어진 모양.

- 수학 시간에 **도형**에 대해서 배웠습니다.

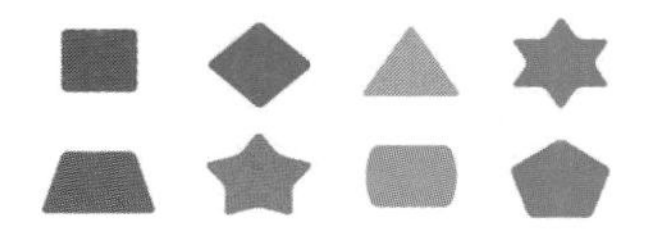

도서 글이나 그림으로 표현하여 적은 것.

- **도서** 열람실에서 책을 빌렸습니다.

5일
기초 집중연습

1 다음 낱말에 쓰인 '지'의 뜻은 무엇입니까? ( )

지 **도** : 어떤 지역을 작게 줄여서 약속된 기호로 나타낸 그림.

① 땅 ② 물 ③ 불 ④ 나무 ⑤ 하늘

2 다음 밑줄 그은 한자어의 독음(읽는 소리)을 쓰시오.

- 공장 地域에는 일자리가 많다.
- 해안 地域에는 항구를 끼고 도시가 만들어진다.
- 마을은 하나의 地域 사회이면서 더 큰 地域 사회에 속한다.

( )

3 다음 한자어를 바르게 읽은 것은 무엇입니까? ( )

圖形

① 도형 ② 도모 ③ 도안 ④ 도표 ⑤ 도공

4 '圖書'를 넣어 문장을 만든 것으로 알맞지 않은 것은 무엇입니까? ( )

① 圖書 열람실에 책이 많다.
② 외국 圖書 전시회에 갔다.
③ 서점에서 불량 圖書를 바꾸었다.
④ 어머니께서 圖書를 출판하는 회사에 다니신다.
⑤ 우리나라 인구수의 변화를 圖書로 나타내면 한눈에 알아보기 쉽다.

5 다음에서 설명하는 낱말을 쓰시오.

• 이름을 나무나 돌 따위에 새겨 찍도록 만든 물건.
• 임금이 사용하던 것은 '옥새'라고 함.

( )

6 다음 한자어의 뜻을 보고 빈칸에 알맞은 한자를 써넣으시오.

뜻
•지진 : 땅이 흔들리는 현상.

→ □ 震

7 글자를 골라 뜻에 알맞은 어휘를 쓰시오.

(1)

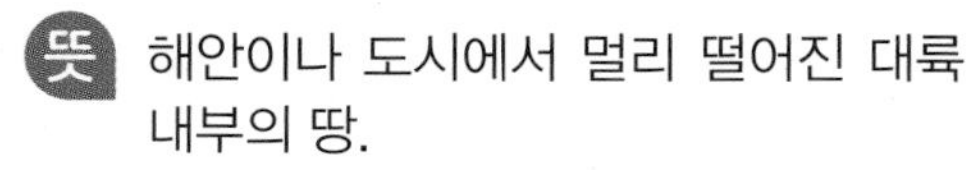
뜻 해안이나 도시에서 멀리 떨어진 대륙 내부의 땅.

예 전기가 들어오지 않는 ○○이다.

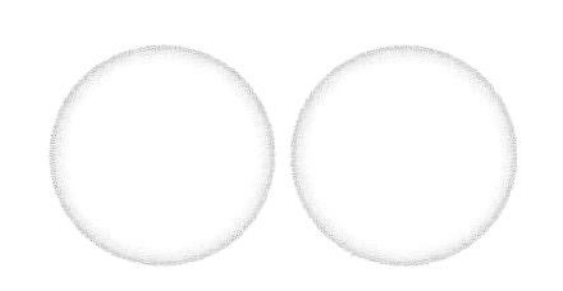

(2)

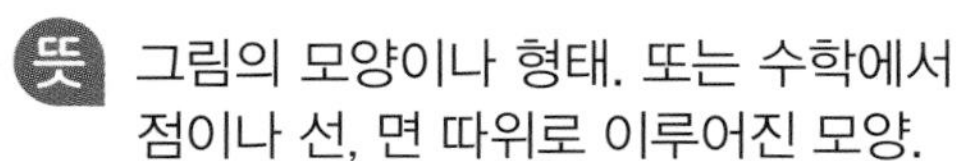
뜻 그림의 모양이나 형태. 또는 수학에서 점이나 선, 면 따위로 이루어진 모양.

예 삼각형, 사각형, 원 등이 ○○의 일종이다.

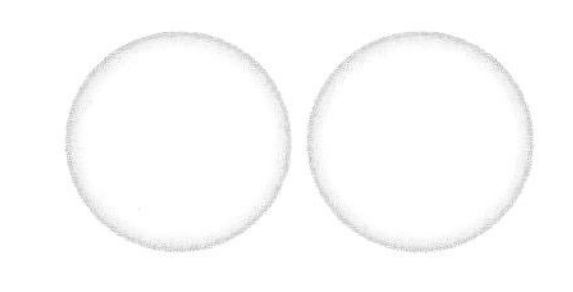

누구나 100점 TEST

1 **얼굴과 관련된 낱말의 쓰임이 알맞은 것에 ○표 하시오.**

(1) 인중이 막혀서 숨을 쉴 수 없다. ( )

(2) 친구는 부끄러운지 귓바퀴가 붉어졌다. ( )

2 **다음 속담의 빈칸에 들어갈 말로 알맞은 것은 무엇입니까?** ( )

> ☐이 광주리만 해도 말 못 한다: 잘못이 드러나 변명의 여지가 없다는 뜻.

① 눈 ② 코 ③ 입
④ 귀 ⑤ 이마

3 **시에서 다음과 같은 부분을 무엇이라고 하는지 쓰시오.**

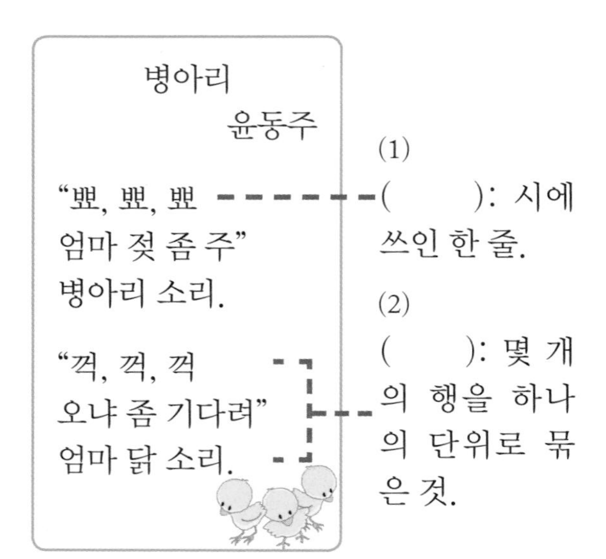
병아리
윤동주

"뾰, 뾰, 뾰
엄마 젖 좀 주"
병아리 소리.

"꺽, 꺽, 꺽
오냐 좀 기다려"
엄마 닭 소리.

(1) ( ): 시에 쓰인 한 줄.

(2) ( ): 몇 개의 행을 하나의 단위로 묶은 것.

4 **다음 뜻에 알맞은 낱말을 이으시오.**

(1) 시를 외워서 읽는 것 • • ① 낭송

(2) 시를 소리 내어 읽는 것 • • ② 암송

(3) 시에서 노래하는 듯한 느낌이 나는 가락 • • ③ 운율

5 **다음 그림을 보고 밑줄 그은 낱말을 알맞게 고쳐 쓰시오.**

(1) 하마트면 숙제하는 것을 잊을 뻔했다.

→ ☐☐☐☐

(2) 여행 가는 날이 몇 월 몇 일이지?

→ ☐☐

◐ 정답과 풀이 3쪽 점수 점

6 다음 밑줄 그은 낱말이 알맞게 쓰인 것은 무엇입니까? ( )

① 열 셀 동안 숨으렴.
② 행복을 쫒아 열심히 노력하다.
③ 사냥꾼이 사슴을 좇아서 왔다.
④ 잠 한숨 자지 못했는데 날이 새우는구나.
⑤ 형이 공부한다고 밤을 새는 계획을 세웠다.

7 다음에서 설명하는 것은 무엇입니까? ( )

• 지표의 바위나 돌, 흙 등이 깎여 나가는 것.
• 이 작용으로 산의 골짜기도 생기고 바닷가 절벽이 생기는 등 지표의 모습이 계속 변함.

① 화석 ② 침식 ③ 운반
④ 퇴적 ⑤ 지층

8 다음에서 설명하는 것은 무엇인지 쓰시오.

지층을 이루는 암석 속에 아주 오랜 옛날에 살았던 생물의 몸체나 생물이 생활한 흔적이 남아 있는 것.

( )

9 다음은 우리나라 지도입니다. '지도'를 한자로 바르게 쓴 것은 무엇입니까? ( )

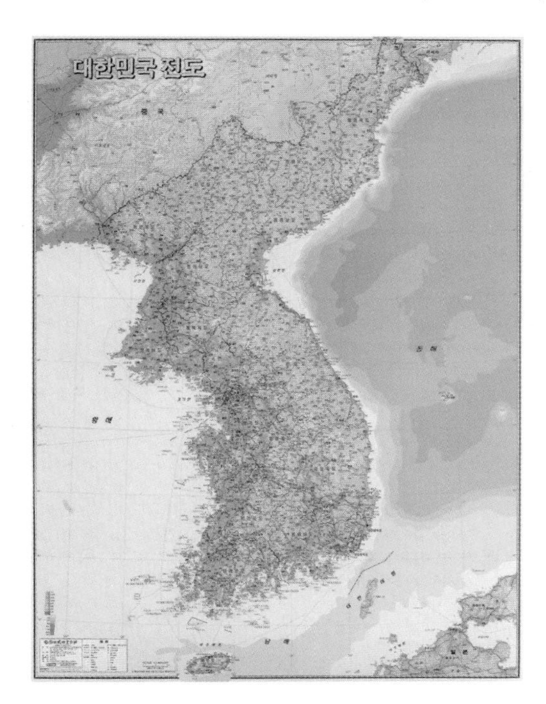

① 圖形 ② 圖章 ③ 圖書
④ 指導 ⑤ 地圖

10 다음 ○ 안에 공통으로 들어갈 한자에 ○표 하시오.

地 知 志

○震: 땅이 흔들리는 일.

○域: 기준에 따라 범위를 나눈 땅.

속담 플러스

엎어지면 코 닿을 데

집 바로 앞에 있는 마트를 다녀오는 데 오래 걸렸네요. '엎어지면 코 닿을 데'는 매우 가까운 거리를 비유적으로 이르는 말이에요. 비슷한 뜻의 속담으로 '넘어지면 코 닿을 데', '엎드러지면 코 닿을 데'가 있어요. 앞으로 넘어졌는데 코가 닿을 정도의 거리라면 정말 가깝겠지요.

사고 쑥쑥

1 도현이와 지윤이는 알파벳과 숫자를 이용하여 규칙을 정해 암호를 만들었습니다. 암호 표를 보고 도현이가 지윤이에게 보낸 쪽지의 내용을 쓰세요.

〈암호 표〉

암호	A	B	C	D	E	F	G	H	I	J	K	L	M	N	P	Q
해독	ㄱ	ㄲ	ㄴ	ㄷ	ㄹ	ㅁ	ㅂ	ㅅ	ㅆ	ㅇ	ㅈ	ㅊ	ㅋ	ㅌ	ㅍ	ㅎ

암호	0	1	2	3	4	5	6	7	8	9
해독	ㅏ	ㅓ	ㅔ	ㅕ	ㅗ	ㅛ	ㅜ	ㅠ	ㅡ	ㅣ

〈암호로 만드는 글자 예 J3C → 연〉

지윤이에게

H9 C0JH4J H9A0CJ2 I8E H9K9GJ8E L0KJ8E1 A0NJ9 A0EB0?
H6J1G B8NC0A4 D4H1H9EJ2H1 F0CC0K0.

도현이가

지윤이에게

□□□ □□□ □ □□□

□□□ □□ □□?

□□ □□□ □□□□□ □□□.

도현이가

2 친구들이 젠가 게임을 하고 있습니다. 다음에서 설명하는 낱말의 순서대로 젠가에 번호를 알맞게 써넣으세요.

창의·융합·코딩 ❸

논리 탄탄

1

선을 따라 내려가다가 사다리의 오른쪽을 지나갈 때는 사다리에 있는 글자를 더합니다. 그리고 왼쪽을 지나갈 때는 사다리에 있는 글자를 뺍니다. 사다리 타기를 하며 빈칸에 알맞은 낱말을 써넣으세요.

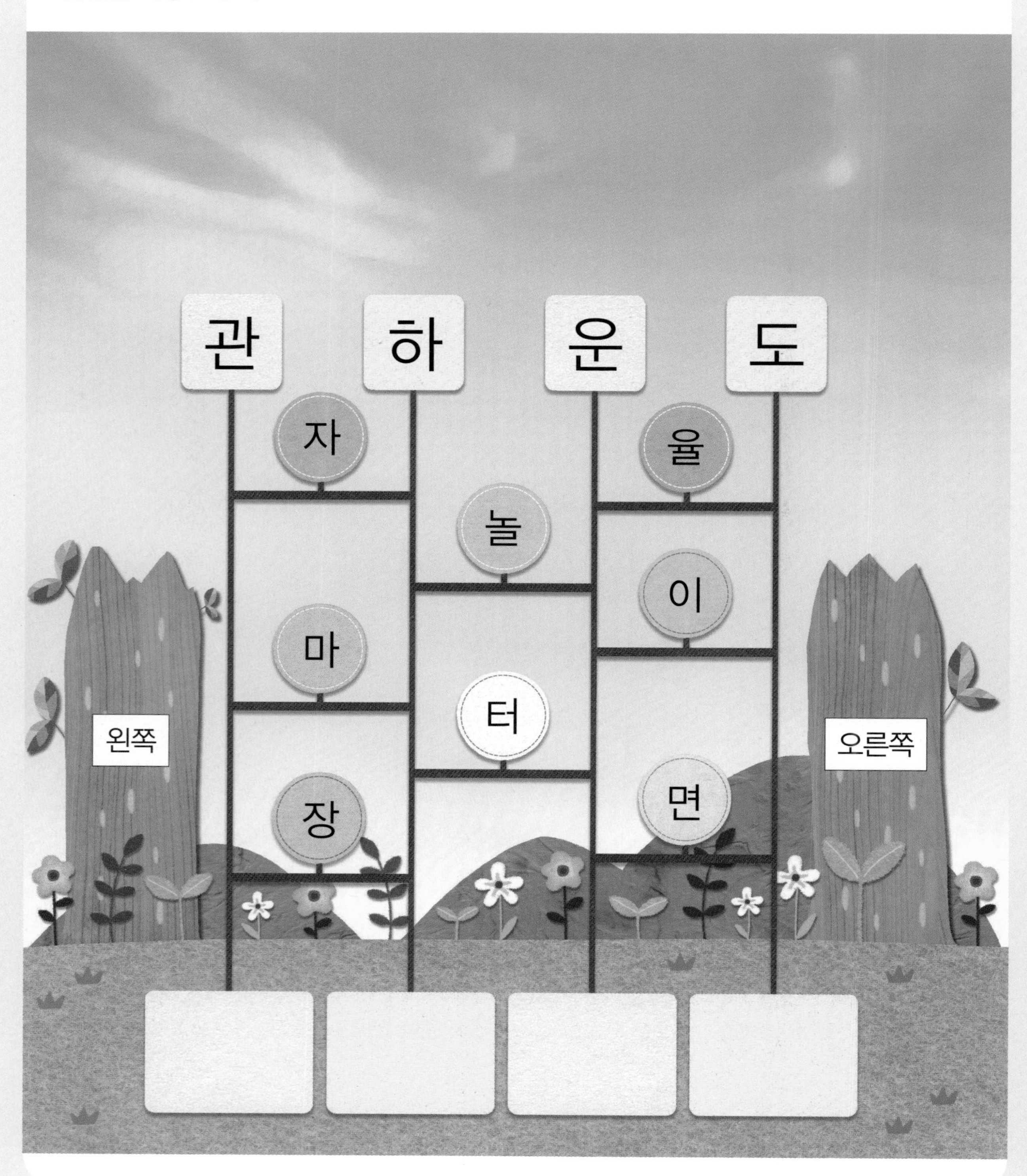

2 다음의 지도에서 지질학자가 도착 칸에 가도록 코딩을 알맞게 한 것의 기호를 쓰세요.

2주에는 무엇을 공부할까? ❶

1일 주제 어휘 > 친척을 부르는 말

삼촌
백부 / 숙부
이모 / 고모
조카
사촌
촌수

2일 교과 어휘 국어 > 의견과 관련된 말

의견
주장
근거
근거 자료

3일 알쏭 어휘 > 금새 / 금세 …

금새 / 금세
달걀 프라이
/ 달걀 후라이
알갱이 / 알맹이
삭이다 / 삭히다

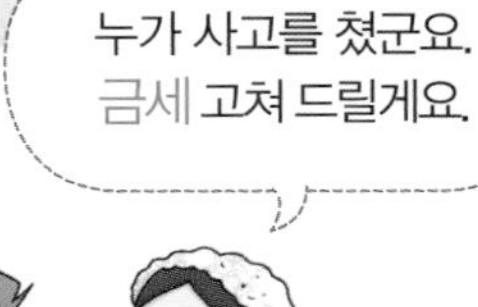
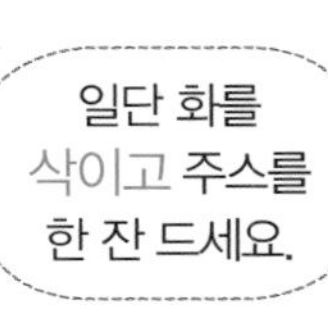

4일 교과 어휘 사회 > 지도와 관련된 말

지도
약도
축척
소축척 지도
대축척 지도

5일 한자 어휘 > 國나라 국 民백성 민

국가
한국
외국
시민
농민
민요

'먼 사촌보다 가까운 이웃이 낫다'는 무슨 뜻일까?

2주 2주에는 무엇을 공부할까? 2

주제 어휘 1

친척을 부르는 말

다음 두 사람은 서로를 무엇이라고 부를지 쓰세요.

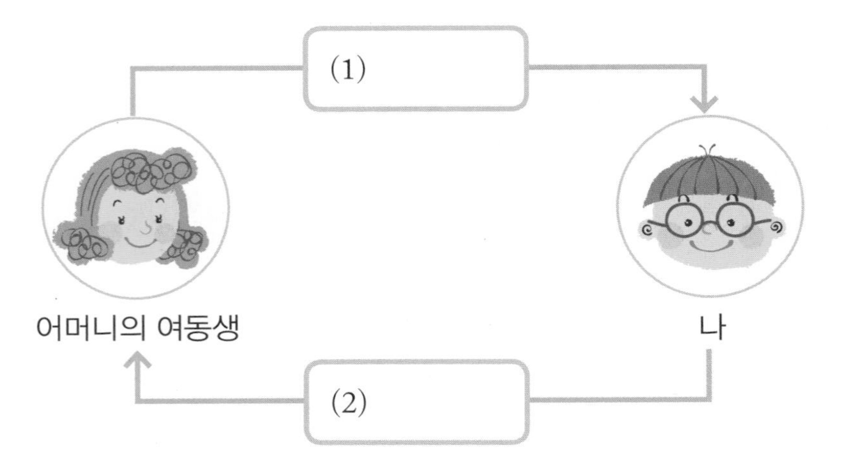

교과 어휘 2

[국어] 주장과 관련된 말

다음을 주장과 근거로 나눌 때 나머지와 다른 것에 ○표 하세요.

(1) 교실에서 뛰어다니지 말자. ( )

(2) 친구들과 부딪혀 다칠 수 있다. ( )

(3) 먼지가 생겨서 건강에 좋지 않다. ( )

◐ 정답과 풀이 5쪽

2주

교과 어휘 3

[사회] 지도와 관련된 말

다음 중 지도가 아닌 것에 ×표 하세요.

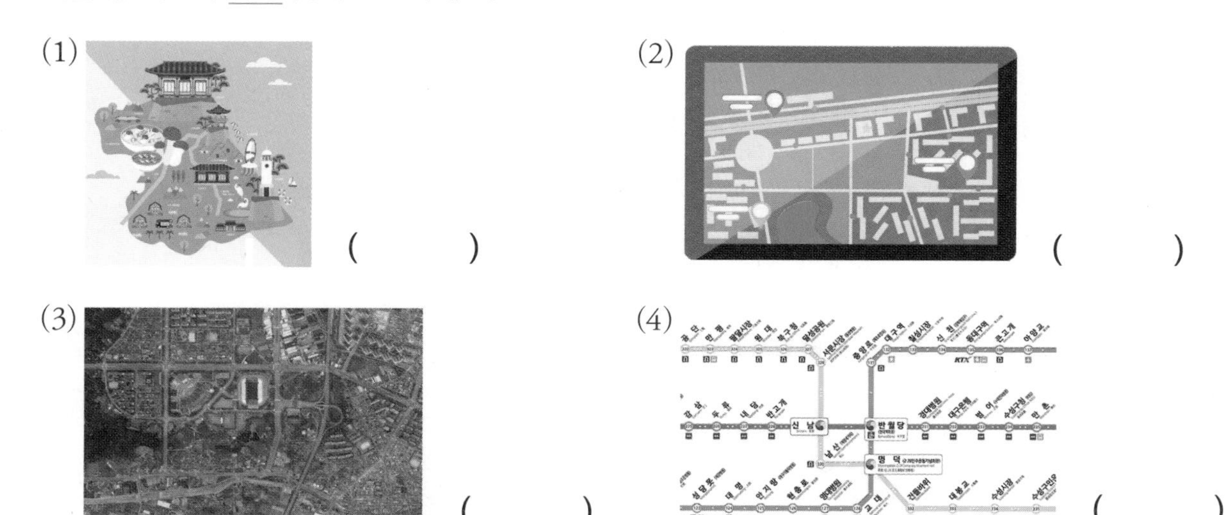

(1) (　　)　(2) (　　)

(3) (　　)　(4) (　　)

한자 어휘 4

國 나라 국 民 백성 민

다음 낱말에 공통으로 들어간 한자를 바르게 읽은 것에 ○표 하세요.

國가　國민　외國　대한민國

(1) 국 (　　)　(2) 시 (　　)　(3) 민 (　　)

친척을 부르는 말

*연중무휴: 일 년 내내 하루도 쉬는 날이 없음.

오늘의 어휘

조카
형제자매의 자식.

오늘의 어휘

삼촌, 숙모, 외삼촌, 외숙모

- 삼촌의 아내 ▲ 숙모
- 아버지의 남자 형제 ▲ 삼촌
- 아버지
- 나
- 어머니
- 어머니의 남자 형제 ▲ 외삼촌
- 외삼촌의 아내 ▲ 외숙모

친척을 부르는 말

친척은 아버지 집안과 어머니 집안에 있는 사람들을 뜻해. 친척을 부르는 이름에는 나와 그 사람이 어떤 관계인지가 담겨 있어. 친척을 부르는 말들을 알아볼까?

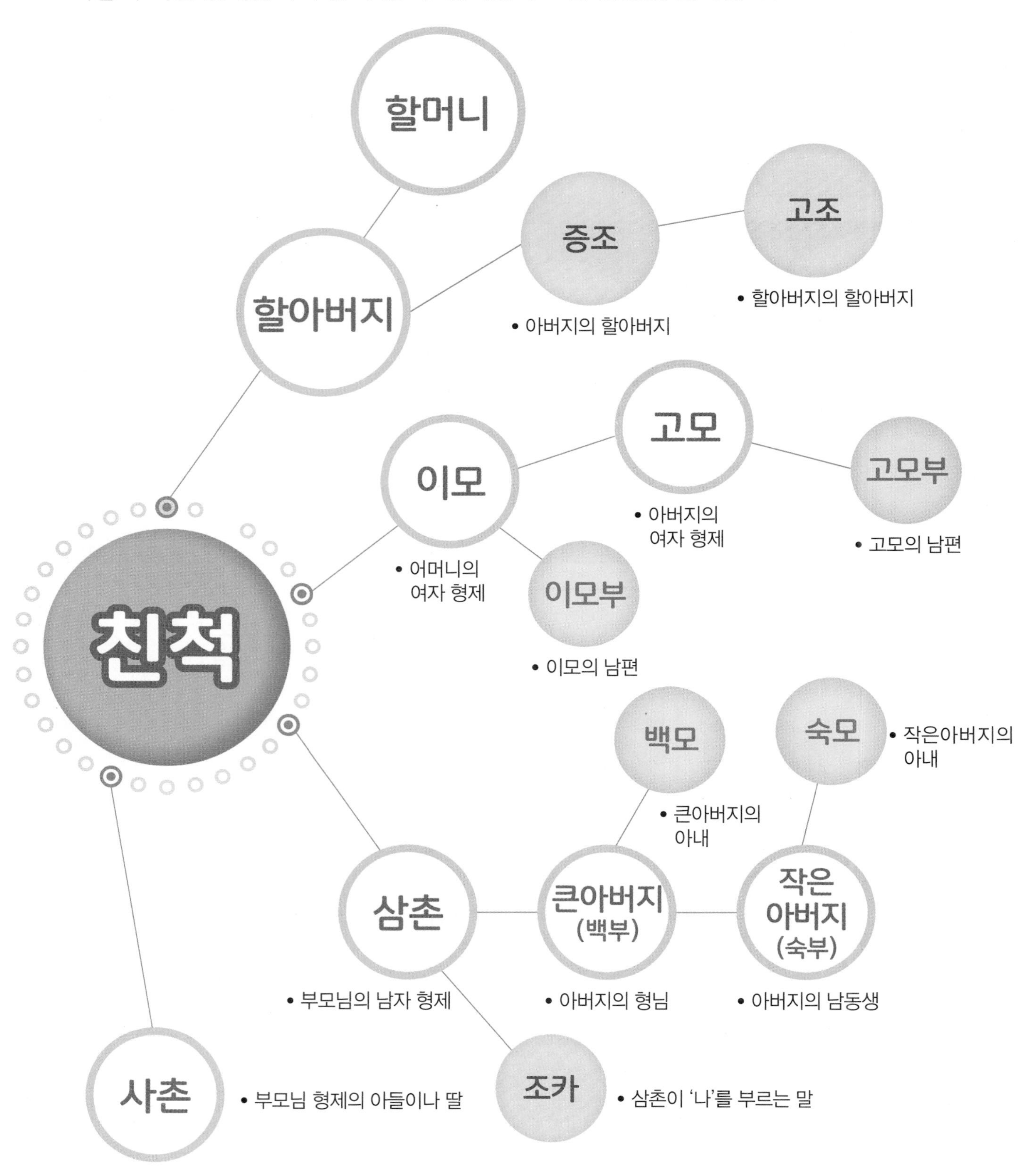

부모님의 남자 형제는 삼촌이야. 그중에서 아버지의 형님은 큰아버지(백부), 결혼한 남동생은 작은아버지(숙부)라고 부르지.

어머니의 언니와 여동생을 모두 이모라고 해. 아버지의 여자 형제는 고모라고 부르지.

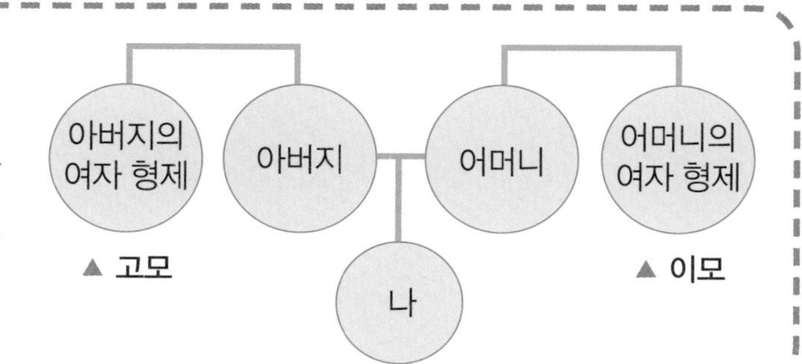

조카

조카는 형제자매의 자식을 이르는 말이야. 삼촌이나 고모, 이모께서 나를 부르실 때 조카라고 하지.

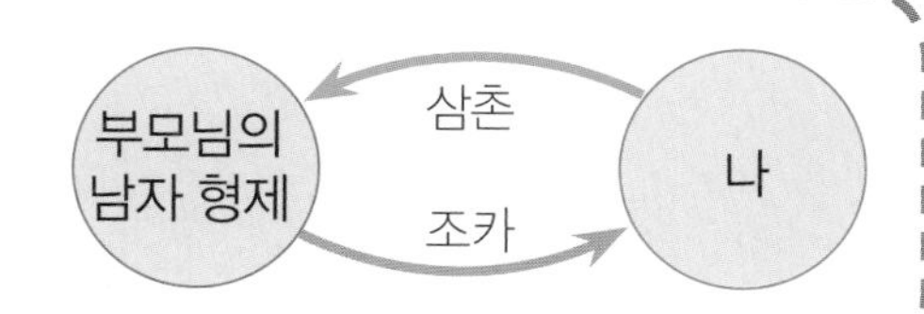

사촌

부모님의 형제자매가 낳은 아들이나 딸을 사촌이라고 해. 삼촌이나 고모, 이모의 자식이 나와 사촌 관계인 거지.

들어봤니?

촌수

촌수는 친척 사이의 멀고 가까운 정도를 나타내는 말이야. 부모님과 나는 1촌이고, 나와 형제는 2촌이야. 나와 부모님 형제자매와의 관계가 3촌인데, 그래서 부모님의 남자 형제를 삼촌이라고 부르지. 부모님 형제의 자녀와 나의 관계는 4촌이야.

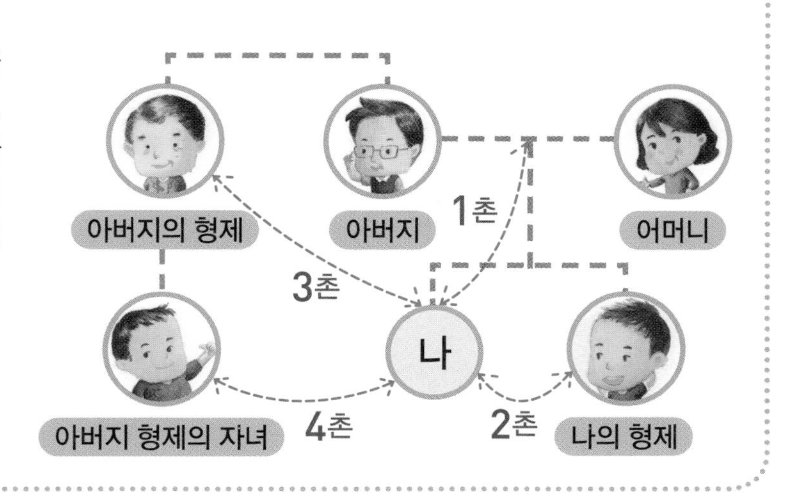

1일

기초 집중연습

1 다음은 무엇에 대한 설명입니까? ( )

아버지 집안과 어머니 집안에 있는 사람들을 뜻하는 말

① 친가 ② 외가 ③ 친구 ④ 외교 ⑤ 친척

2 친척을 부르는 말을 알맞게 설명한 것을 찾아 선으로 이으시오.

(1) 사촌 • • ① 아버지의 형님

(2) 숙모 • • ② 작은아버지의 아내

(3) 큰아버지 • • ③ 부모님 형제의 아들딸

3 같은 사람을 가리키는 말끼리 묶이지 않은 것에 ×표 하시오.

(1) 이모부 – 고모부	(2) 숙모 – 작은어머니
(3) 숙부 – 작은아버지	(4) 백부 – 큰아버지

4 어머니와 나의 촌수로 알맞은 것은 무엇입니까? ( )

① 1촌 ② 2촌 ③ 3촌 ④ 4촌 ⑤ 5촌

5 **질문에 알맞은 대답을 하면서 화살표를 따라가 보시오.**

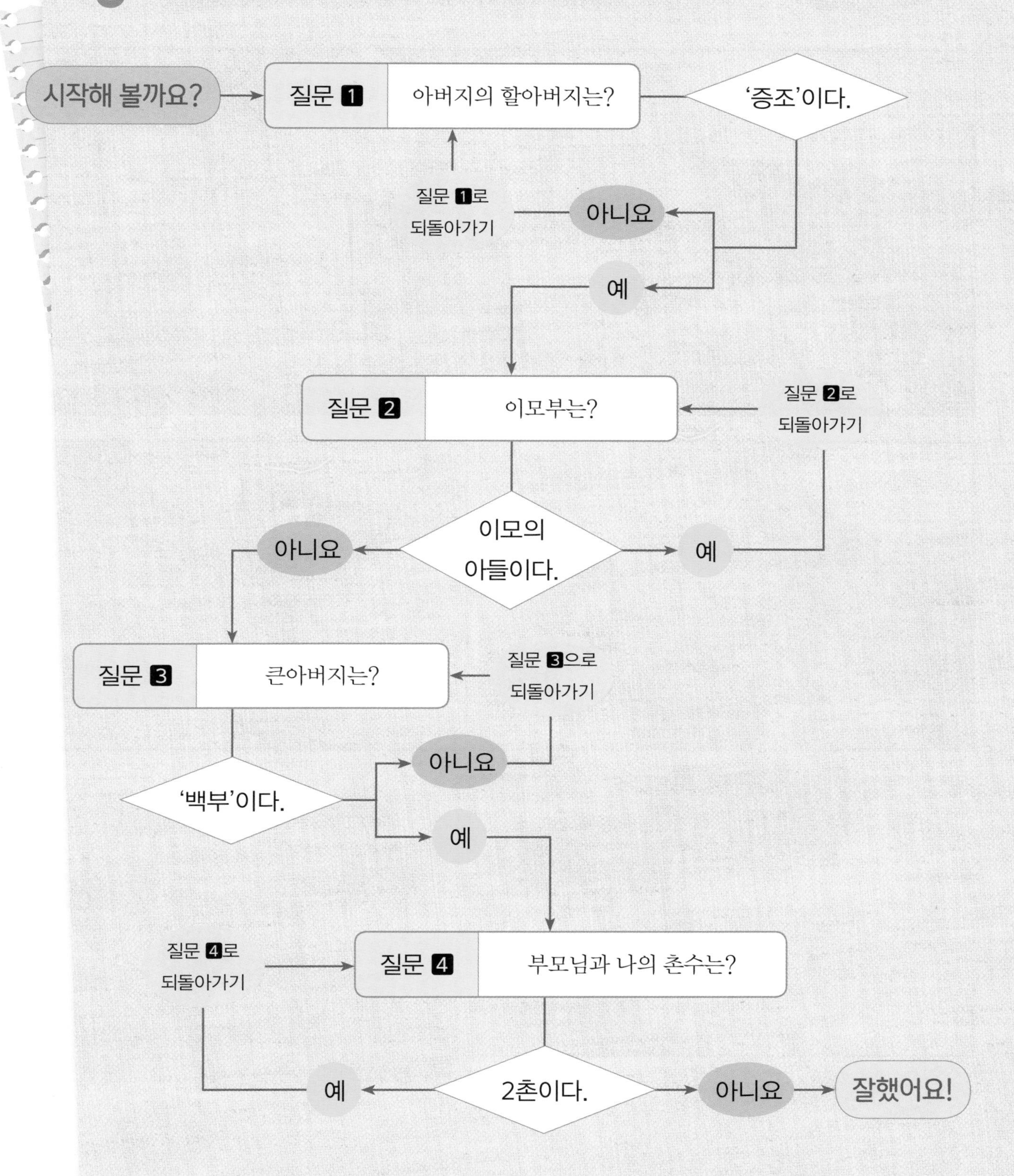

의견과 관련된 말

오늘의 어휘

주장, 근거, 근거 자료

- 어떤 문제에 대한 나의 주된 의견이 '주장'
- 주장을 뒷받침하는 것이 '근거'
- 근거를 뒷받침하는 것이 '근거 자료'

*신성 모독: 신을 욕되게 하는 일.

오늘의 어휘

의견

어떤 일에 대하여 가지는 생각

교실에서 앉는 자리를 정하는 문제에 대하여
- 의견 1 키 순서대로 자리에 앉자.
- 의견 2 아침에 오는 순서대로 자리에 앉자.

→ 서로 다를 수 있음.

의견 » 근거 자료

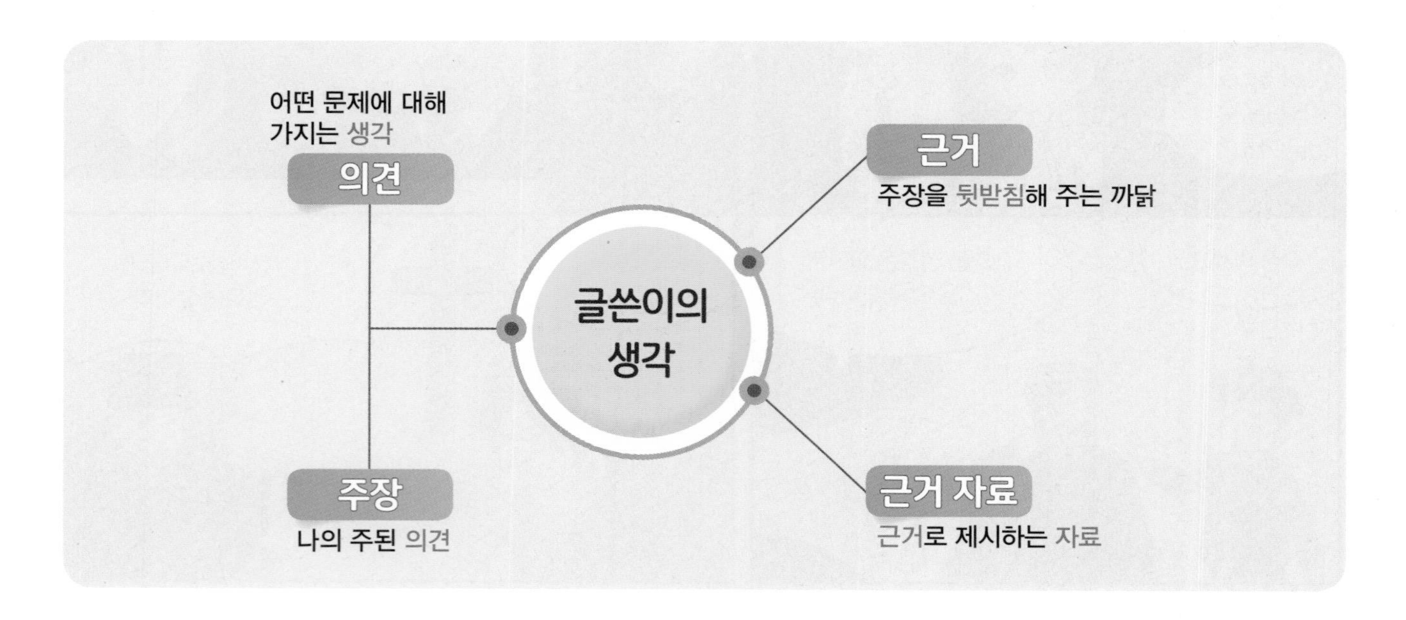

의견

어떤 문제나 인물, 또는 일에 대하여 가지는 생각을 '의견'이라고 해. 글에 나오는 인물의 생각도 의견이고, 글쓴이가 글에서 내세우는 생각도 의견이야. 어떤 문제에 대해 가지는 의견은 사람마다 같을 수도 있고 다를 수도 있어.

의견

예 저의 의견은 대중교통을 이용하자는 것입니다.

의견과 비슷한 것은?

주장

'주장'은 어떤 문제에 대한 나의 주된 의견을 내세우는 거야. 글쓴이의 생각이 의견이고, 글쓴이가 내세우는 의견이 주장이니까 '의견'과 '주장'은 같은 뜻으로 쓰이기도 하지. 자신의 주장을 담아 글을 쓰면 그게 바로 주장하는 글이야. '논설문'이라고 부르기도 해.

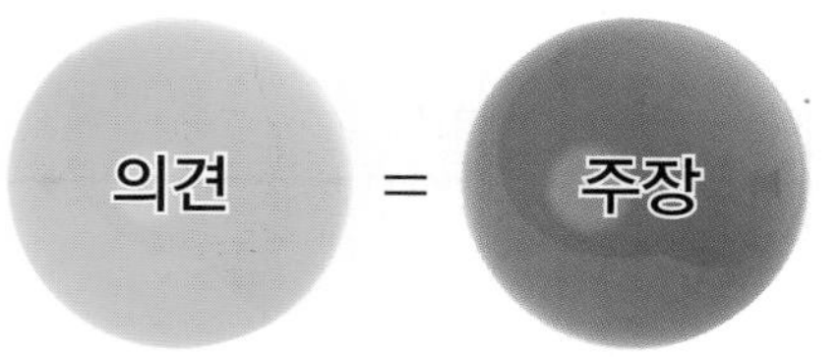

주장을 뒷받침해 주는 사실은?

근거

주장을 내세울 때는 왜 그런 생각을 하게 되었는지에 대한 까닭을 말해야 해. 그래야 받아들이는 사람이 쉽게 이해할 수 있고 그 주장이 옳다고 생각하게 되지. 어떤 일이나 의견에 근본이 되는 까닭이 바로 '근거'야.

예 농부는 근거도 없이 범인으로 몰려 사포를 찾아갔다.

2주

근거와 함께 제시하는 것은?

근거 자료

근거를 뒷받침하는 자료

주장과 근거를 쉽게 이해하고 근거를 자세히 확인하려면 구체적인 자료가 있어야 해. 그래서 함께 제시하는 것이 '근거 자료'야. 근거 자료에는 사진이나 그림, 도표처럼 한눈에 보기 쉬운 자료도 있고, 책이나 보고서, 설문 조사와 같이 자세한 정보를 읽어서 알 수 있는 자료도 있어.

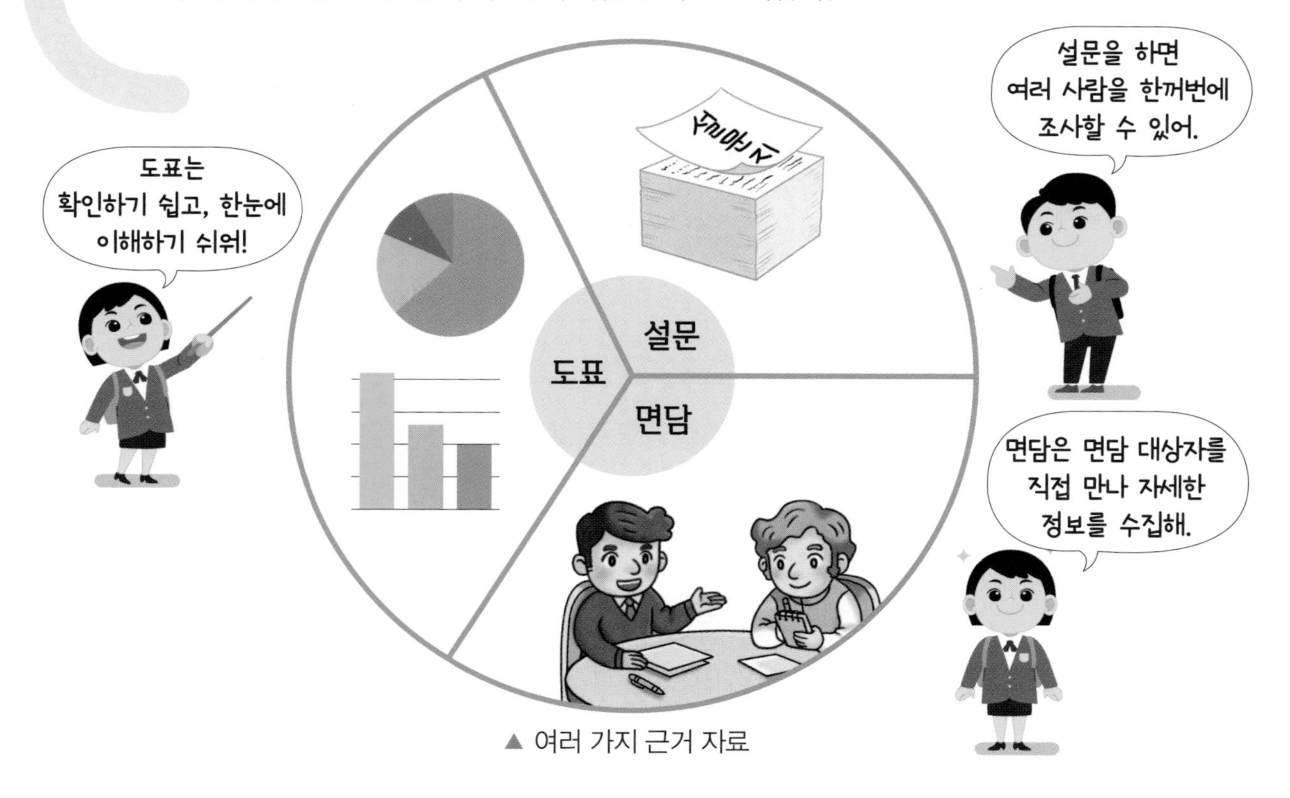

▲ 여러 가지 근거 자료

1 다음에서 설명하는 것은 무엇인지 ○표 하시오.

어떤 문제나 인물, 또는 일에 대하여 가지는 생각

(성격 / 의견)

2 다음 문장이 주장을 나타낸 문장이면 '주', 근거를 나타낸 문장이면 '근'을 쓰시오.

(1) 화단에 쓰레기를 함부로 버리지 맙시다.	
(2) 화단에 쓰레기가 버려져 있으면 보기에도 좋지 않고 지저분하기 때문입니다.	

3 다음 주장에 알맞은 근거는 무엇입니까? ( )

음식을 남기지 말고 다 먹자.

① 운동을 잘할 수 있기 때문이다.
② 책을 많이 읽을 수 있기 때문이다.
③ 친구와 사이가 좋아지기 때문이다.
④ 깨끗한 공기가 부족해지기 때문이다.
⑤ 환경을 오염시키는 것을 막을 수 있기 때문이다.

4 다음 중 근거 자료에 대한 설명으로 알맞지 않은 것은 무엇입니까? ( )

① 사진을 제시하면 근거를 한눈에 보기 쉽다.
② 도표는 자세히 읽어야 정보를 알 수 있는 자료이다.
③ 설문을 하면 여러 사람을 한꺼번에 조사할 수 있다.
④ 근거 자료를 제시하면 주장과 근거를 이해하기 쉽다.
⑤ 면담은 자세한 정보를 수집할 수 있는 근거 자료이다.

5 글자를 골라 뜻에 알맞은 어휘를 쓰시오.

❶

뜻 어떤 일이나 의견 등에 그 근본이 됨. 또는 그런 까닭.

예 주장을 할 때는 타당한 ○○를 제시해야 한다.

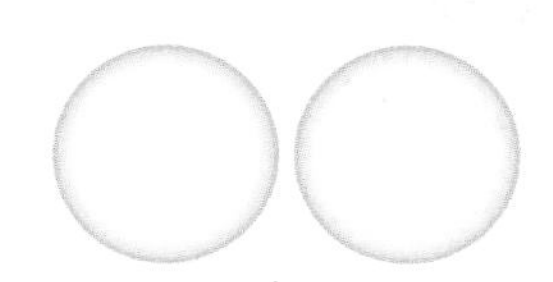

❷

뜻 어떤 문제나 인물, 또는 일에 대하여 가지는 생각.

예 나는 부모님의 ○○을 따르기로 했다.

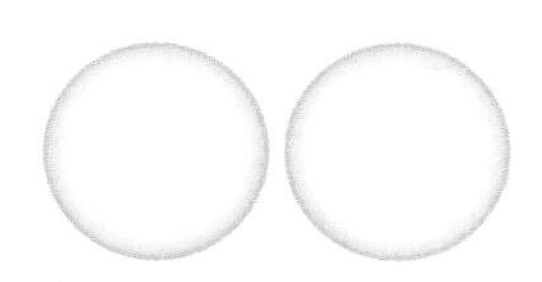

❸

주 마 국 과 험
길 연 보 장 로

뜻 자기의 주된 의견을 굳게 내세움. 또는 그런 의견.

예 지호가 한 말은 터무니없는 ○○이었다.

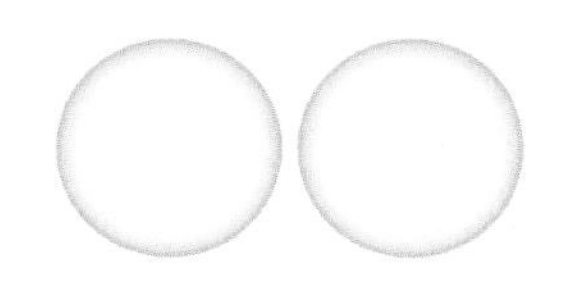

❹

뜻 연구나 조사 따위의 바탕이 되는 재료.

예 나는 근거 ○○로 사진과 도표를 제시했다.

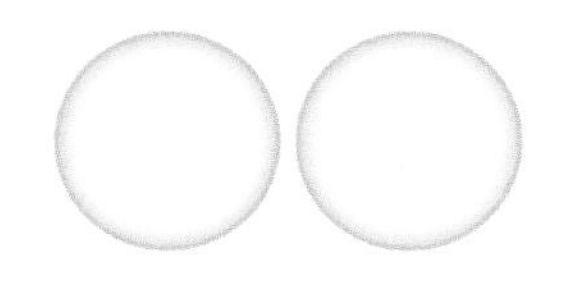

❶ 금새 / 금세

Q 금새 다 먹었을까요, 금세 다 먹었을까요?

A 금세(○)

'지금 바로'를 뜻하는 말을 '금시'라고 해요. '금시'에 '에'가 붙은 '금시에'는 '금세'로 줄여 쓸 수 있지요.

㉠ 소문이 금세 퍼지다.

㉠ 에어컨을 켜니 금세 방 안이 시원해졌다.

❷ 달걀 프라이 / 달걀 후라이

Q 달걀 프라이가 맞을까요, 달걀 후라이가 맞을까요?

A 달걀 프라이 ( )

외래어를 한글로 적는 규정인 외래어 표기법에 따라서 '음식을 기름에 지지거나 튀기는 일. 또는 그렇게 만든 음식.'을 '프라이'라고 해요. 그래서 '달걀 프라이'가 맞아요.

예 프라이팬에 달걀 프라이를 만들었다.

예 오늘은 프라이드치킨을 먹고 싶어요.

③ 알갱이 / 알맹이

Q 사탕 알갱이일까요, 사탕 알맹이일까요?

A 사탕 알맹이(○)

'알갱이'는 '열매나 곡식 따위의 낱알'을 뜻하고, '알맹이'는 '물건의 껍데기나 껍질을 벗기고 남은 속 부분'을 뜻해요. '어떤 것의 핵심이 되는 중요한 부분'도 '알맹이'라고 하지요.

예 옥수수 알갱이 예 사탕 알맹이

예 내 말의 알맹이는 청소를 잘하자는 거야.

④ 삭이다 / 삭히다

Q 화를 삭이나요, 삭히나요?

A 화를 삭이다 (○)

화를 풀어서 마음을 가라앉힌다는 뜻의 말은 '삭이다'예요. '삭히다'는 김치나 젓갈을 발효시켜서 만들 때 쓰는 말이에요.

예 안 좋은 기분을 삭이다.

예 배추김치를 삭히다.

3일

기초 집중연습

1 다음 (　　) 안에 알맞은 낱말을 선으로 이으시오.

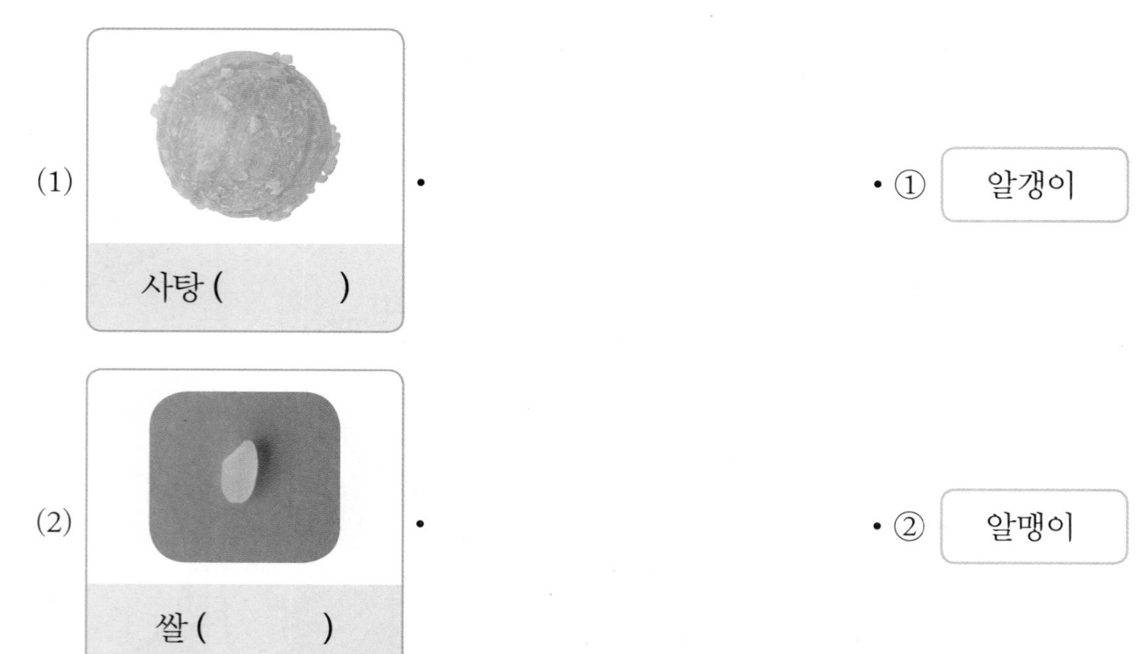

2 다음 밑줄 그은 낱말이 알맞게 쓰인 것은 어느 것입니까? (　　　)

① 빵에 달걀 프라이를 얹어서 먹었다.

② 태호가 전학을 간다는 소문이 금새 퍼졌다.

③ 우리 조상들은 생선을 삭여 젓갈을 만들었다.

④ 과자 껍질은 버리고 알갱이만 쏙쏙 빼 먹었다.

⑤ 아무리 화를 삭히려고 해도 기분이 풀리지 않는다.

3 다음 문장에서 (　　) 안의 낱말 중 알맞은 것에 ○표 하시오.

(1) 화를 (삭이고 / 삭히고) 차분하게 이야기했다.

(2) (삭인 / 삭힌) 김치는 유산균이 많아서 건강에 좋다.

4 다음 ○○ 안에 들어갈 말을 글자 칸의 글자를 모아 만드시오.

❶
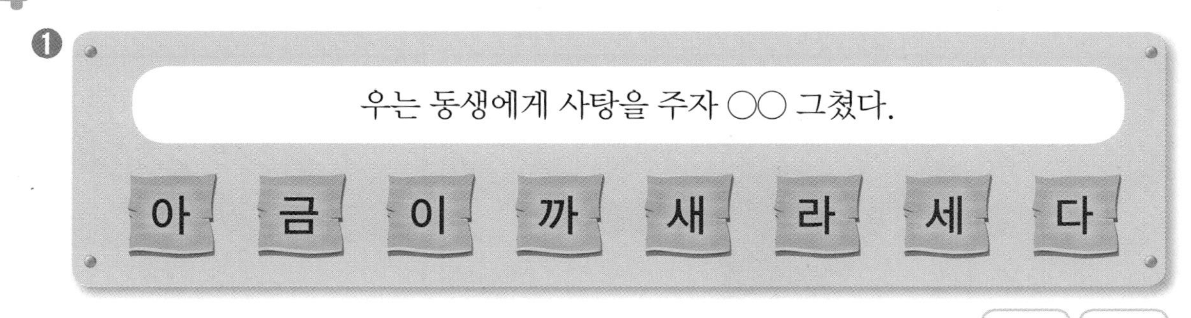

❷
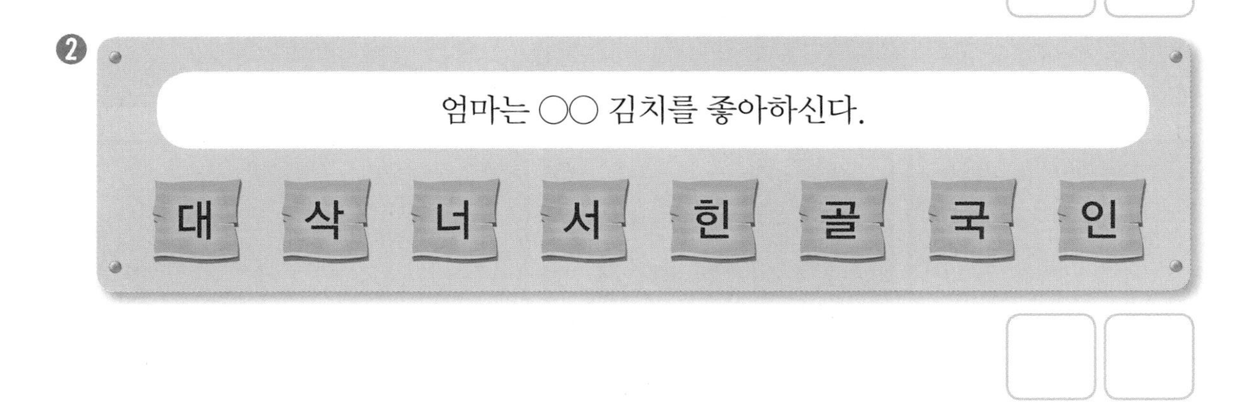

❸
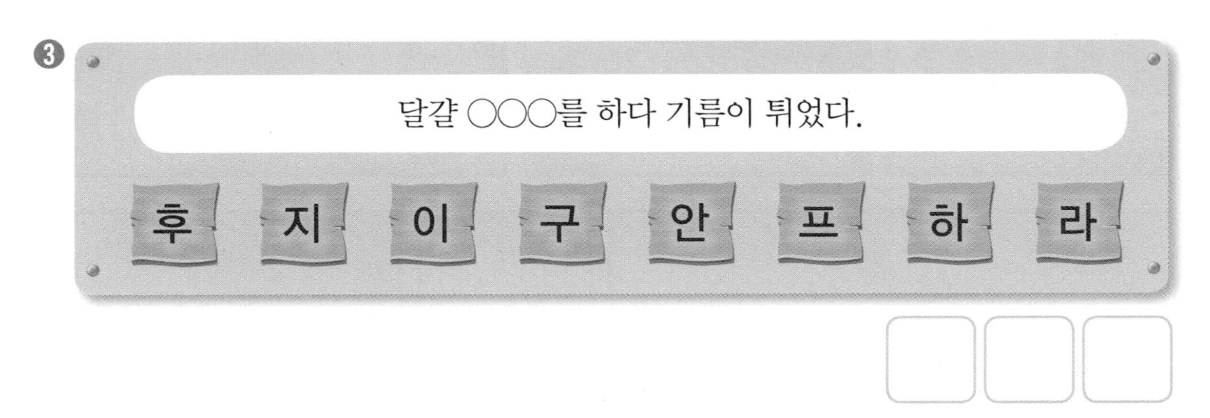

5 다음 가로 세로 열쇠를 보고 빈칸에 알맞은 말을 써넣으시오.

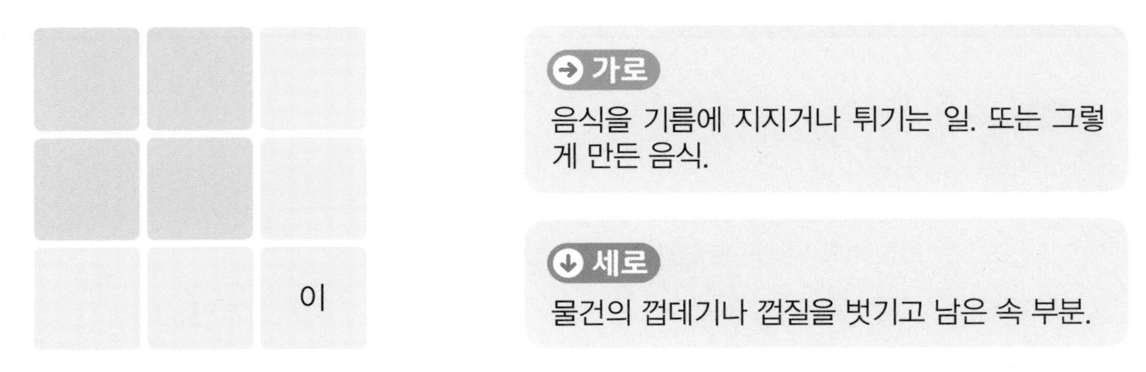

지도와 관련된 말

오늘의 어휘

지도

위에서 내려다본 땅의 실제 모습을 줄여서 나타낸 그림.
교통 지도, 안내도 등 다양한 종류가 있음.

우리나라 지도 ▶ 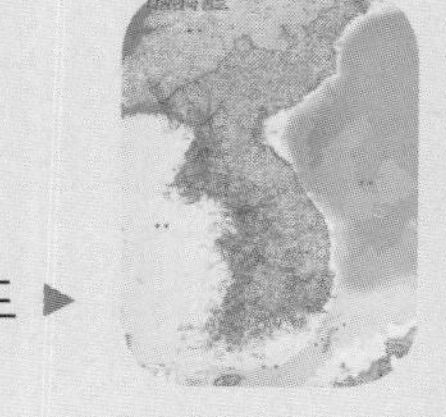

오늘의 어휘

소축척 지도, 대축척 지도

소축척 지도 ▶
: 축척이 작은 지도

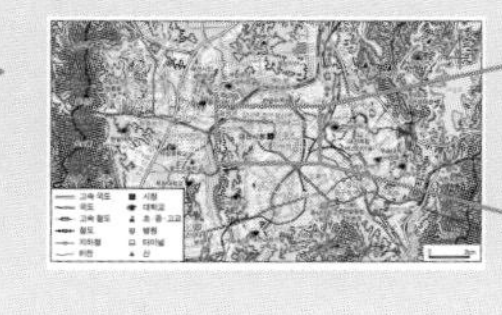

◀ 대축척 지도
: 축척이 큰 지도

지도 » 대축척 지도

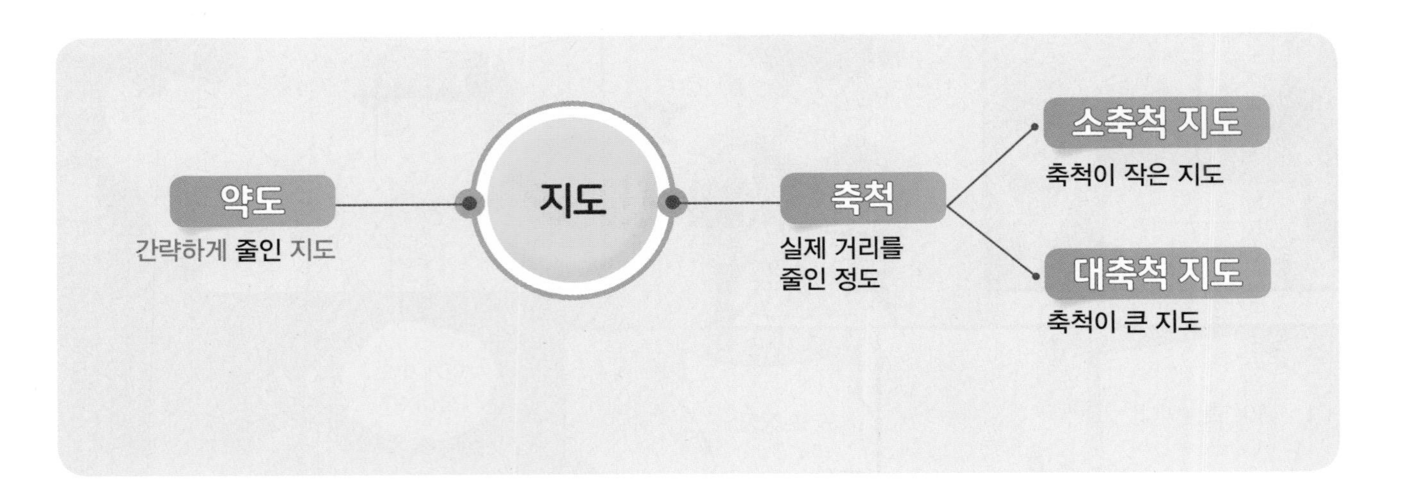

지도

지도는 위에서 내려다본 땅의 실제 모습을 줄여서 나타낸 그림이야. 지도는 거리가 멀거나 장소가 넓어서 직접 볼 수 없는 곳을 설명하거나 보여 줄 때 필요해. 교통 지도, 안내도, 지하철 노선도 등 다양한 지도가 생활 속에서 쓰여.

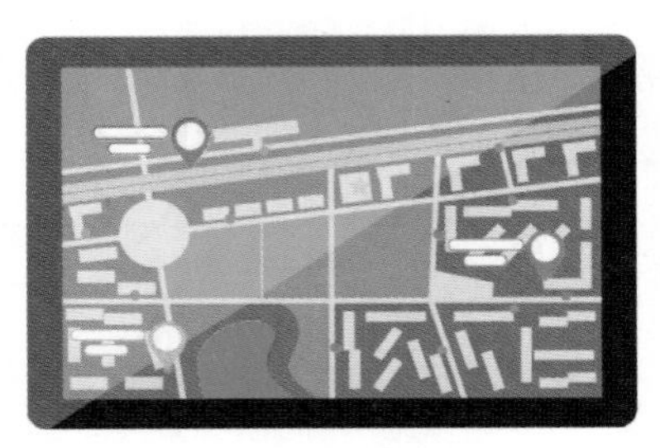

▲ 교통 지도

▲ 관광 안내도

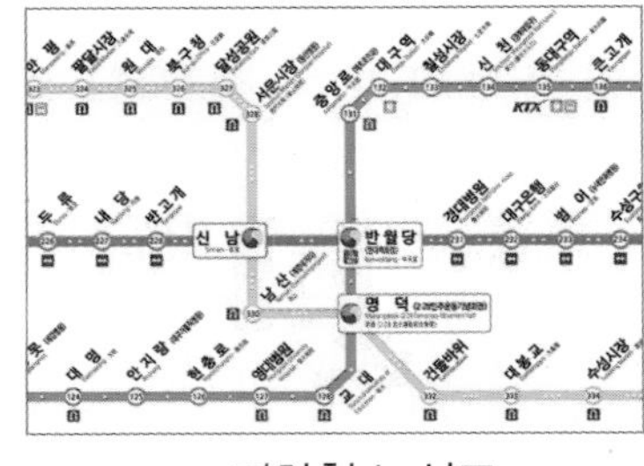

▲ 지하철 노선도

지도를 간략하게 그리면?

약도

간략(약)하게 줄인 지도

약도는 간략하게 줄여서 중요한 것만 나타낸 지도를 말해. 실제 모습과 조금 다르게 표현되지만, 역이나 큰 건물의 위치가 강조되어 원하는 곳을 쉽게 찾아갈 수 있어.

축척

축척

지도는 땅을 줄여서 나타낸 것이라고 했지? 지도에서 실제 거리를 줄인 정도를 '축척'이라고 해. 실제 거리 100미터를 1센티미터로 표시한 지도가 있다면, 그 지도에서 실제 거리 1000미터는 10센티미터로 표시하게 되지.

0 2km (1cm)	지도에서 1cm = 실제 거리 2km
0 500m (1cm)	지도에서 1cm = 실제 거리 500m

2 주

축척이 작은 지도는?

소축척 지도

소축척이란, 축척을 작게 했다는 말이야. 실제 거리를 많이 줄여서 나타냈다는 말이지. 우리나라의 전부를 지도로 나타내려면 땅의 크기가 너무 커서 실제보다 작게 그릴 수밖에 없겠지? 넓은 면적을 많이 줄여서 나타낸 소축척 지도는 다른 지역과의 위치 관계를 잘 보여 줘.

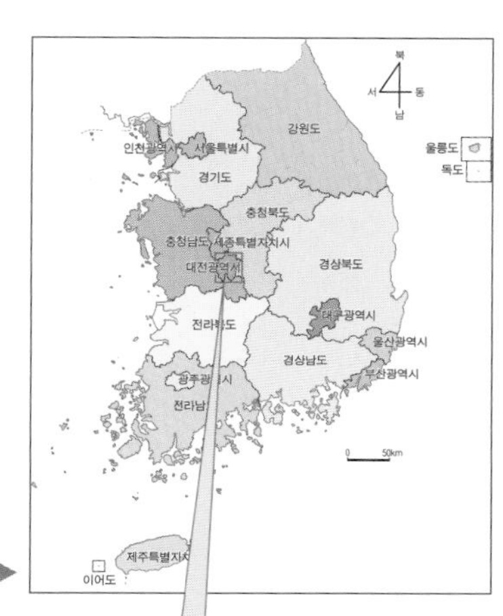

넓은 지역을 간략하게 나타낸 소축척 지도 ▶

소축척 지도와 반대되는 것은?

대축척 지도

대축척이란, 축척을 크게 했다는 말이야. 실제 거리를 가능한 크게 그렸다는 말이지. 소축척 지도보다 나타내는 범위는 좁지만 그 지역을 자세히 살펴볼 수 있어.

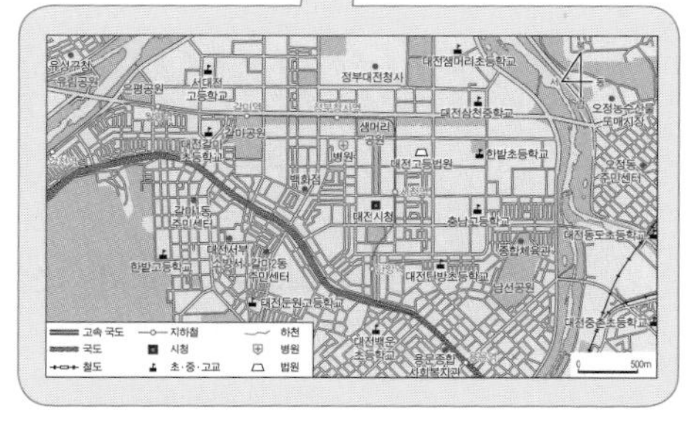

▲ 좁은 지역을 자세하게 나타낸 대축척 지도

1

다음은 '지도'의 뜻입니다. 첫소리와 해당 낱말의 뜻을 살펴보고 ❶과 ❷에 들어갈 알맞은 낱말을 쓰시오.

지도 ❶ ㅇ 에서 내려다본 땅의 ❷ ㅅ ㅈ 모습을 줄여서 나타낸 그림.

❶ ㅇ : 어떤 기준보다 더 높은 쪽.

❷ ㅅ ㅈ : 사실의 경우나 형편.

2

원하는 곳을 쉽게 찾아갈 수 있도록 간략하게 그린 지도를 무엇이라고 합니까?

( )

3

다음은 무엇에 대한 설명입니까? ( )

지도에서는 땅의 실제 모습을 줄여서 나타내는데, 지도에서 실제 거리를 줄인 정도를 말합니다.

① 축척 ② 기호 ③ 범례 ④ 방위 ⑤ 등고선

4

오른쪽 지도에서 1cm가 뜻하는 실제 거리는 몇 km입니까? ( )

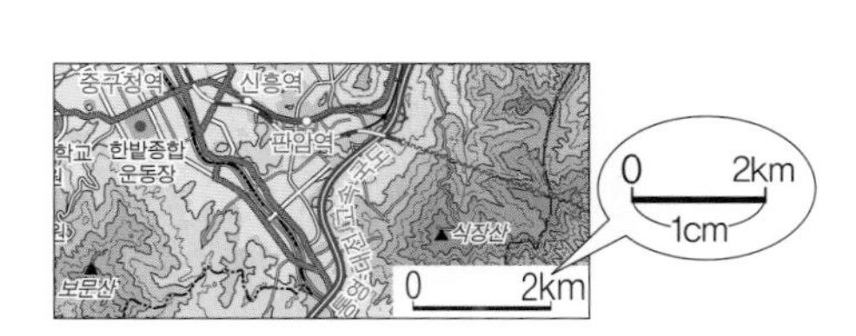

① 0.5km ② 1km

③ 2km ④ 3km

⑤ 4km

5 다음에서 설명하는 낱말을 말 상자에서 찾아 모두 ◯표 하시오. 말 상자의 낱말은 가로, 세로, 대각선에 숨어 있습니다.

❶ 실제 거리를 줄인 정도.
❷ 간략하게 줄여서 중요한 것만 나타낸 지도.
❸ 지하철이 가는 길과 역을 알려 주는 지도를 지하철 ㉡㉦㉢라고 한다.
❹ 축척을 작게 한 ◯◯◯ 지도는 넓은 지역을 나타낸다.
❺ 안내하는 내용을 표시한 지도.

2주

國이 들어간 말

창을 들고 담 안을 지키는 모습을 나타낸 글자로 나라나 국가를 뜻해요.

나라 국

급수 | 8급 부수 | 口 획수 | 총 11획

QR을 보며 따라 써요!

나라 국

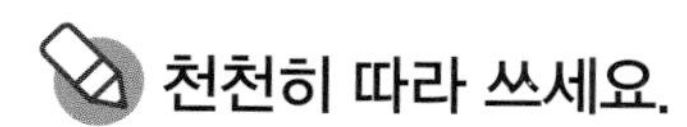
천천히 따라 쓰세요.

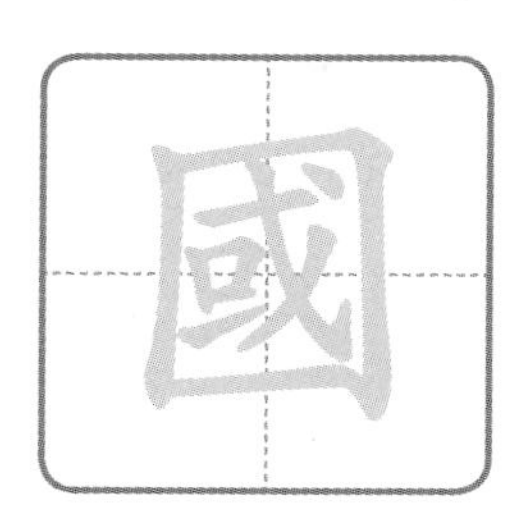
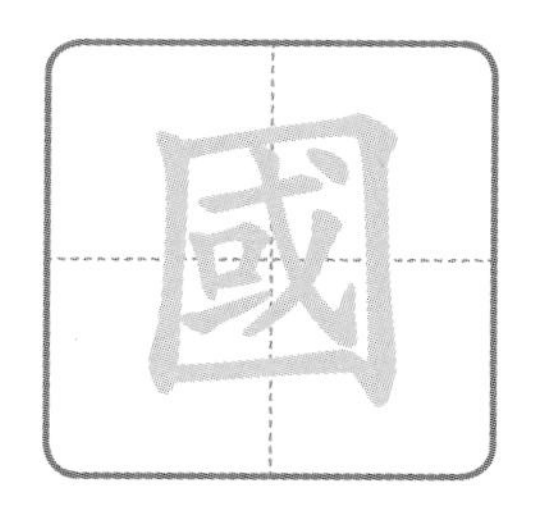
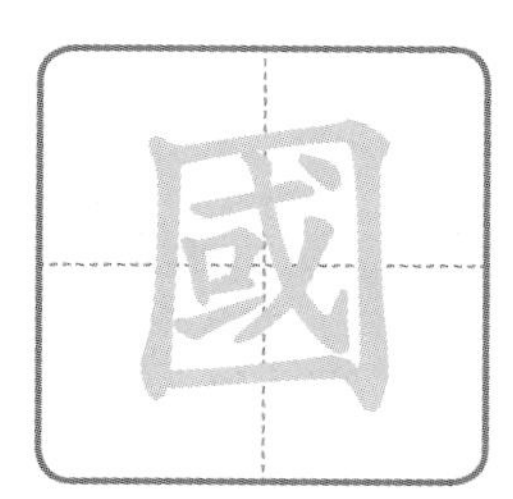

국가

일정한 영토와 그 영토에 살고 있는 사람들로 구성되고, 주권에 의해 다스려지는 사회 집단.

- 대통령은 **국가**의 중요한 일을 결정한다.

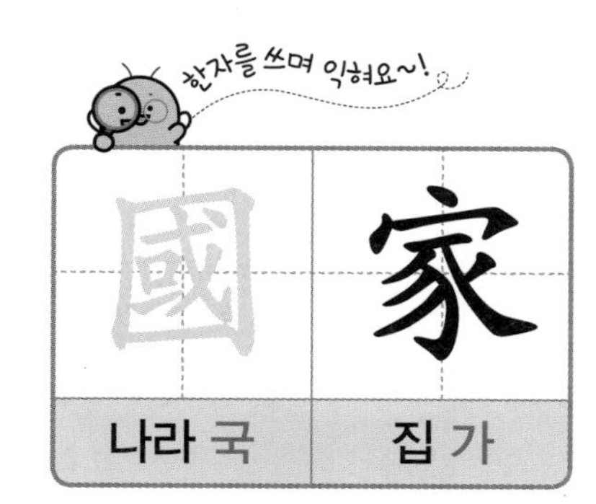

한국

'대한민국'을 줄여 쓴 말.

- 축구 경기에서 **한국**을 응원했다.

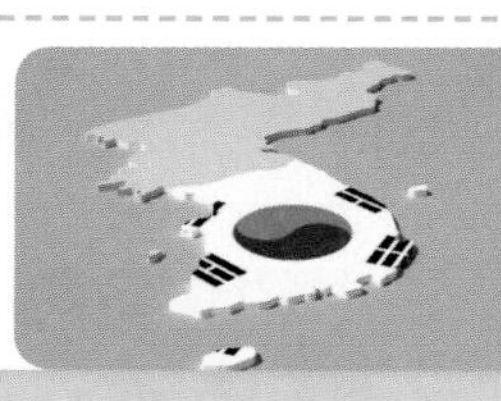

외국

자기 나라가 아닌 다른 나라.

- 가족과 **외국**으로 여행을 갔다.

民이 들어간 말

백성 민

민(民) 자는 **백성**을 뜻하는 한자예요. 우리나라 이름인 대한민국의 '민' 자에도 백성을 뜻하는 이 한자가 쓰여요.

급수 | 8급 부수 | 氏 획수 | 총 5획

QR을 보며 따라 써요!

民 백성 민

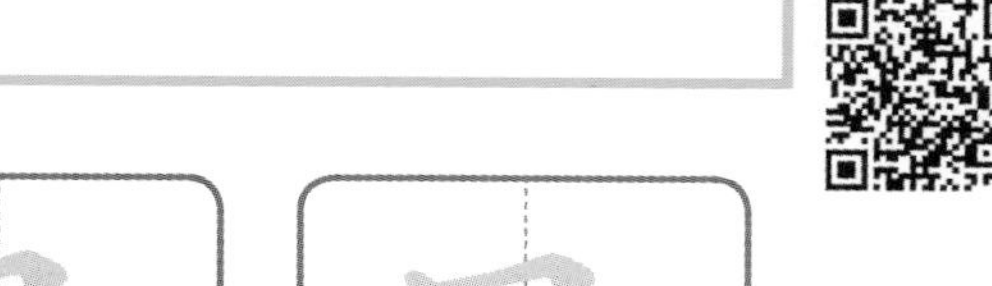

천천히 따라 쓰세요.

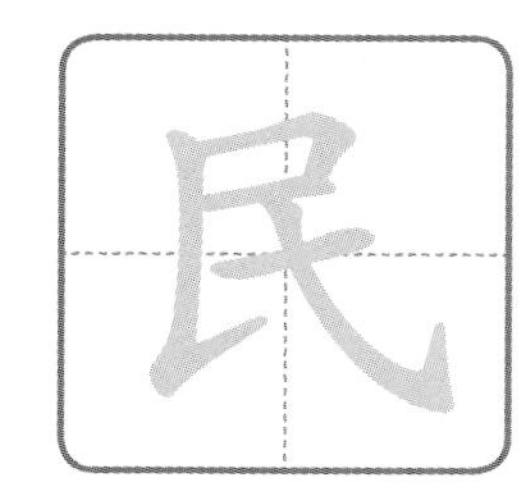
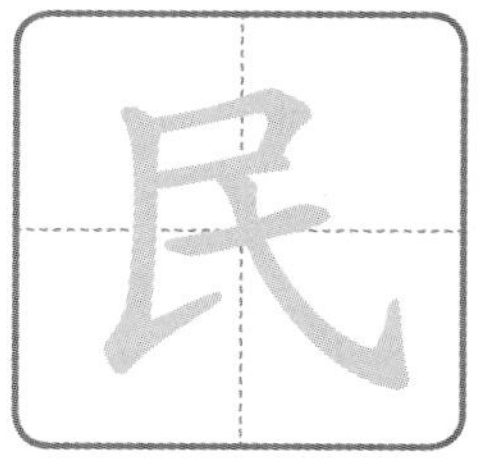
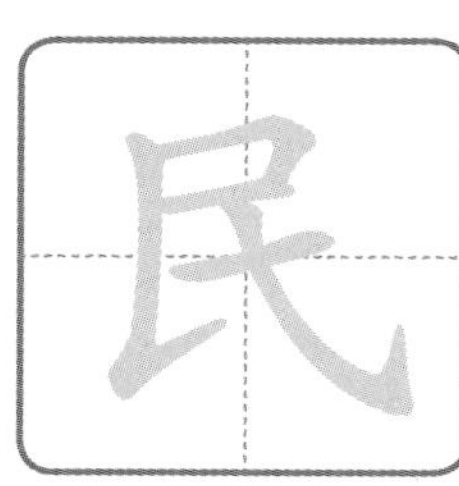

2주

시민 도시에 사는 사람.

◦ 시민들을 위한 공원이 만들어졌다.

농민 농사짓는 사람.

◦ 장마가 계속되어 농민들의 피해가 늘어 갔다.

민요 백성들이 부르는 노래.

◦ 대표적인 민요는 아리랑입니다.

1 다음 낱말에 공통으로 쓰인 '국'의 뜻은 무엇입니까? ·········· (　　　)

국가　　한국　　외국

① 나라　② 도시　③ 고향　④ 사람　⑤ 이야기

2 다음 중 '국(國)' 자가 들어가지 않은 낱말을 두 개 고르시오. ·········· (　　　)

① 국민　② 외국　③ 국수　④ 미역국　⑤ 대한민국

3 빈칸에 들어갈 알맞은 말을 보기 에서 찾아 쓰시오.

보기

민요　　시민　　농민

❶ ☐☐는 '아리랑'과 같이 예로부터 백성들이 즐겨 부르던 전통적인 노래를 뜻하는 말이다.

❷ 쌀값이 크게 떨어져서 ☐☐들이 큰 손해를 보았다.

❸ 서울에 사는 사람들은 서울 ☐☐이다.

4 '민(民)' 자가 들어간 낱말을 한 가지 찾고, 그 뜻을 함께 쓰시오.

❶ 찾은 낱말	
❷ 낱말의 뜻	

5 다음 십자말풀이를 해 보시오.

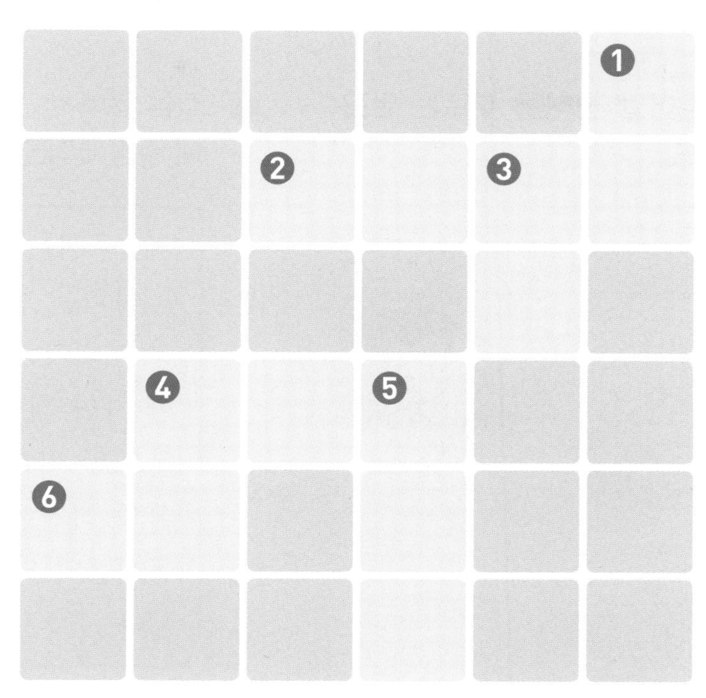

➔ 가로

❷ 우리나라를 이르는 말. 다른 말로 '한국'.
　예 나는 ○○○○의 국민이다.

❹ 농사를 지어 만들어진 곡식, 채소, 과일 등.

❻ 도시에 사는 사람.
　예 공원에는 놀러 나온 ○○들이 북적북적했다.

↓ 세로

❶ 자기 나라가 아닌 다른 나라.
　예 지난 방학에 ○○으로 여행을 다녀왔다.

❸ 백성들이 부르는 노래.
　예 우리 할머니는 ○○를 즐겨 부르신다.

❹ 농사짓는 사람.

❺ 묻는 문장의 끝에 쓰는 문장 부호. ?의 이름.

2주 누구나 100점 TEST

1 다음 빈칸에 들어갈 친척을 부르는 말은 무엇인지 쓰시오.

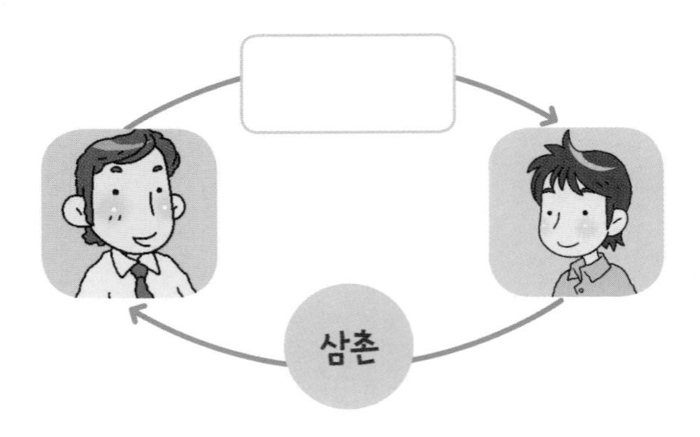

2 다음 중 '고조할아버지'를 가장 잘 설명한 것은 어느 것입니까? ( )

① 아버지의 아버지
② 아버지의 할아버지
③ 아버지의 남자 형제
④ 할아버지의 할아버지
⑤ 할아버지의 남자 형제

3 다음은 무엇에 대한 설명입니까? ( )

어떤 문제에 대하여 가지는 생각.

① 문제 ② 의견
③ 근거 ④ 까닭
⑤ 근거 자료

4 다음 글에서 ㉠~㉤을 주장과 근거로 나눌 때 주장에 해당하는 문장의 기호를 쓰시오.

㉠우리는 자연을 보호해야 한다. ㉡자연은 한 번 파괴되면 복원되기가 어렵기 때문이다. ㉢그리고 무리한 자연 개발은 생태계를 파괴한다. ㉣또한 자연은 우리 후손이 살아갈 삶의 터전이다. ㉤자연이 파괴되면 동식물의 터전이 사라져 살 수 없게 된다.

( )

5 다음 그림에서 민석이가 했을 말로 빈칸에 알맞은 낱말에 ○표 하시오.

(금새 / 금세)

◐ 정답과 풀이 7쪽 점수 점

6 다음에서 설명하는 것은 무엇입니까? ············ (　　　)

> 땅의 실제 모습을 줄여서 나타낸 그림 중 간략하게 줄여서 중요한 것만 나타낸 것

① 지도　　② 약도
③ 축척　　④ 소축척 지도
⑤ 대축척 지도

7 다음을 어울리는 것끼리 줄로 이으시오.

(1) 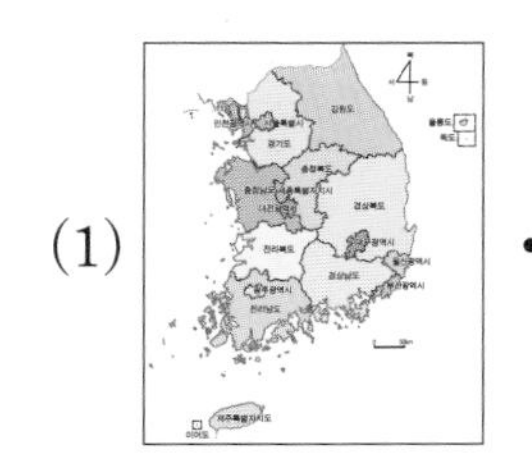 •　　• ① 소축척 지도

(2)  •　　• ② 대축척 지도

8 다음과 같은 뜻을 가진 낱말은 무엇입니까? ············ (　　　)

> 자기 나라가 아닌 다른 나라.

① 자국　　② 국가
③ 외국　　④ 국제
⑤ 국내

9 다음 빈칸에 들어갈 한자의 음을 쓰시오.

漁	民
고기잡을 어	백성 (　　)

10 밑줄 그은 낱말을 바르게 쓴 것은 어느 것입니까? ············ (　　　)

> 다른 나라와의 경기에서 <u>국민</u>들은 우리나라 팀의 승리를 간절히 바랐다.

① 國民　　② 國人
③ 市民　　④ 市人
⑤ 國家

속담 플러스

먼 사촌보다 가까운 이웃이 낫다

멀리 있는 친척은 매일 보며 서로를 살필 수 없지만 가까이 사는 친한 이웃은 무슨 일이 일어났는지 금방 알 수 있지요. 먼 사촌보다 가까운 이웃이 낫다는 뜻은 핏줄을 나눈 친척보다 가까이 있는 친한 이웃과 더 많은 도움을 주고받게 된다는 뜻이에요.

창의·융합·코딩 ②

사고 쑥쑥

1

각각의 카드에 문장이 쓰여 있습니다. 다음 규칙에 따라 카드 게임을 할 때 게임에서 이긴 사람은 누구입니까?

규칙 1 카드에 쓰인 문장이 알맞으면 규석이가 카드를 가져갑니다. 규칙 2 카드에 쓰인 문장이 알맞지 않으면 예슬이가 카드를 가져갑니다. 규칙 3 카드를 더 많이 가져간 사람이 승리합니다.

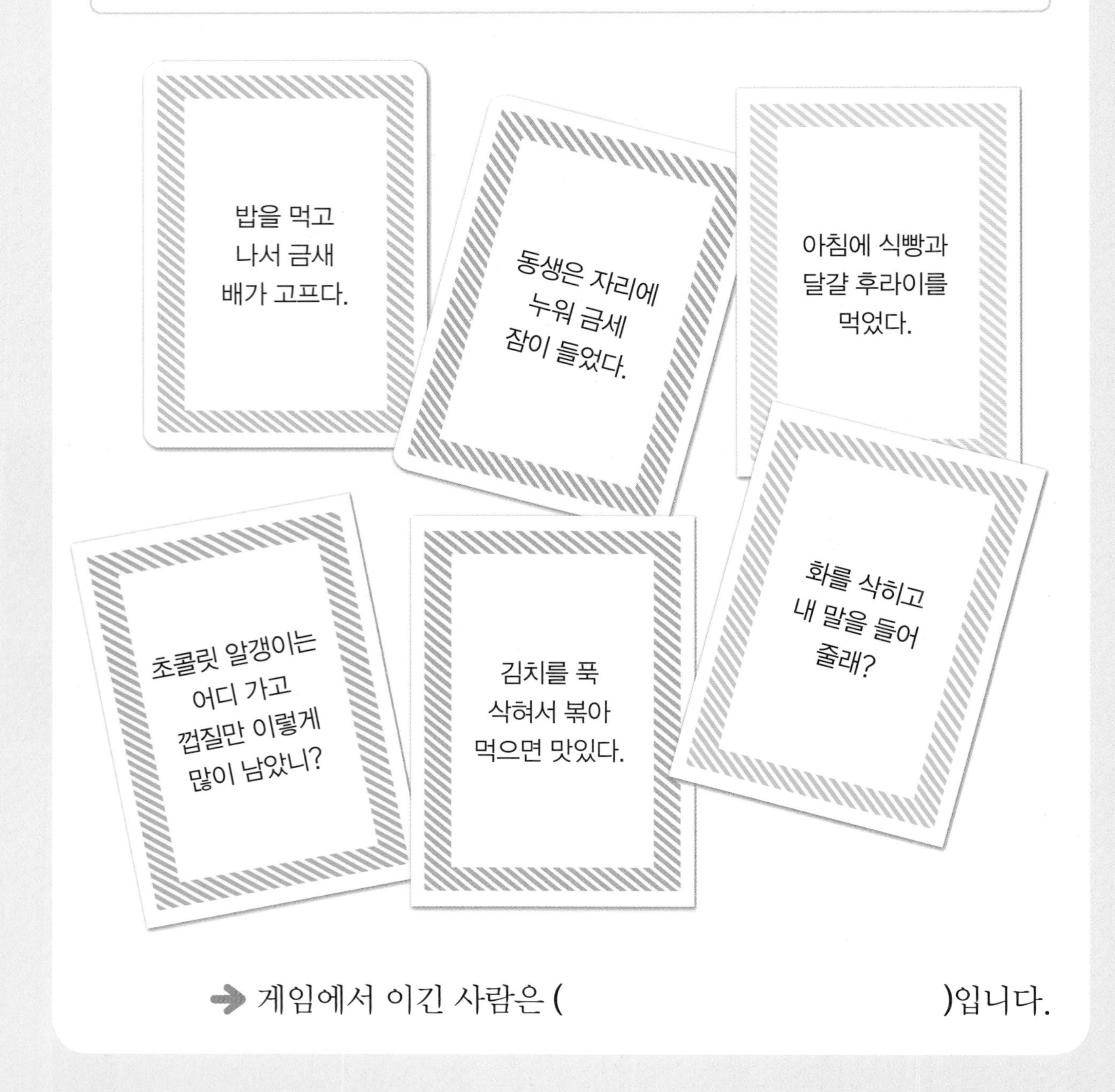

➔ 게임에서 이긴 사람은 (   )입니다.

2

보기 와 같이 빈칸에 들어갈 알맞은 낱말과 그림에 ✓표 하시오.

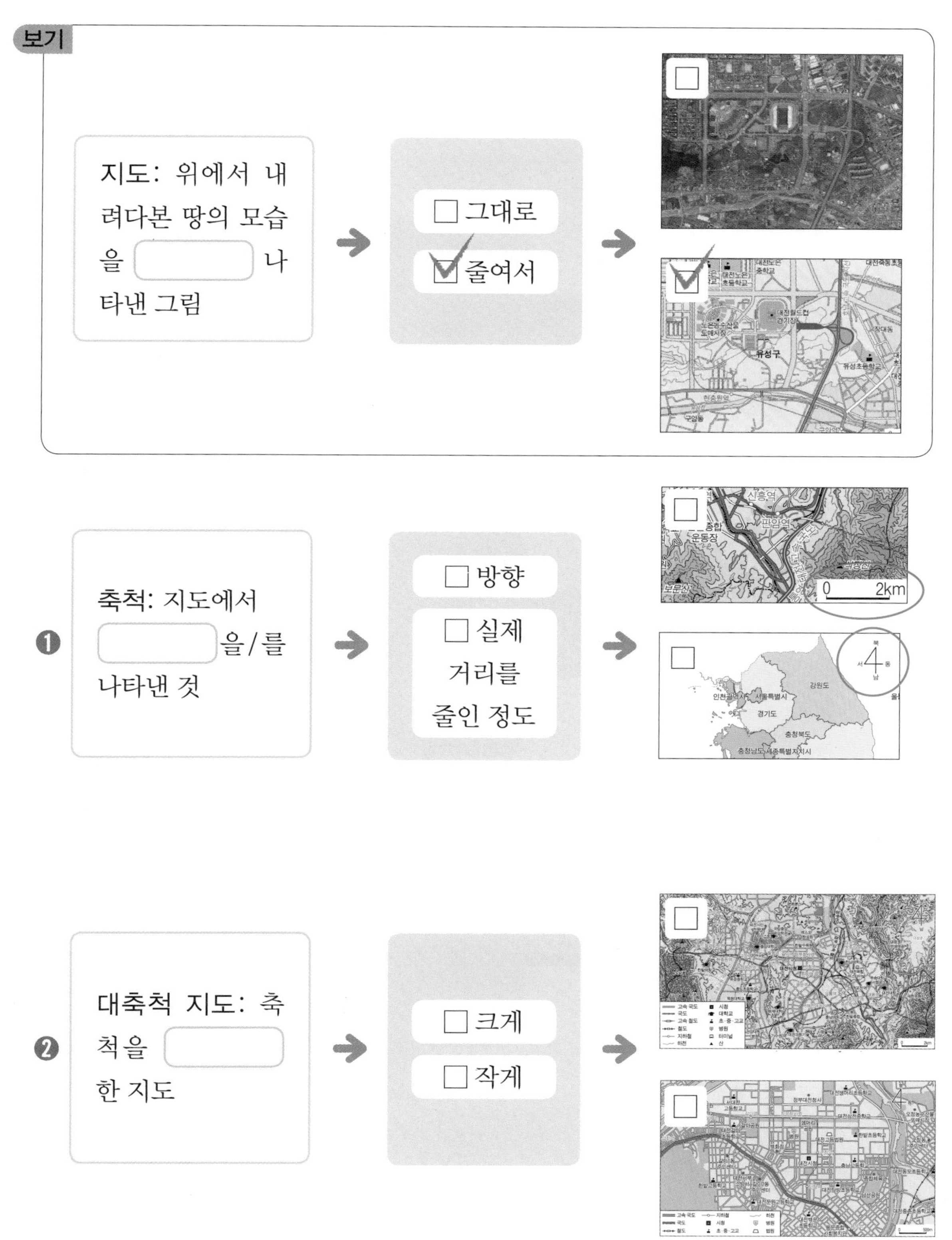

논리 탄탄

1 다음 길에서 만난 사람이 나와 몇 촌인지 생각하여 보기 의 방향을 따라 길을 따라가 도착하는 곳은 어디인지 ○표 하시오.

보기

1촌	→	2촌	←	3촌	↑	4촌	↓

2주

2

다음 문장과 조건문을 보고 결과 값을 모두 더한 수를 쓰시오.

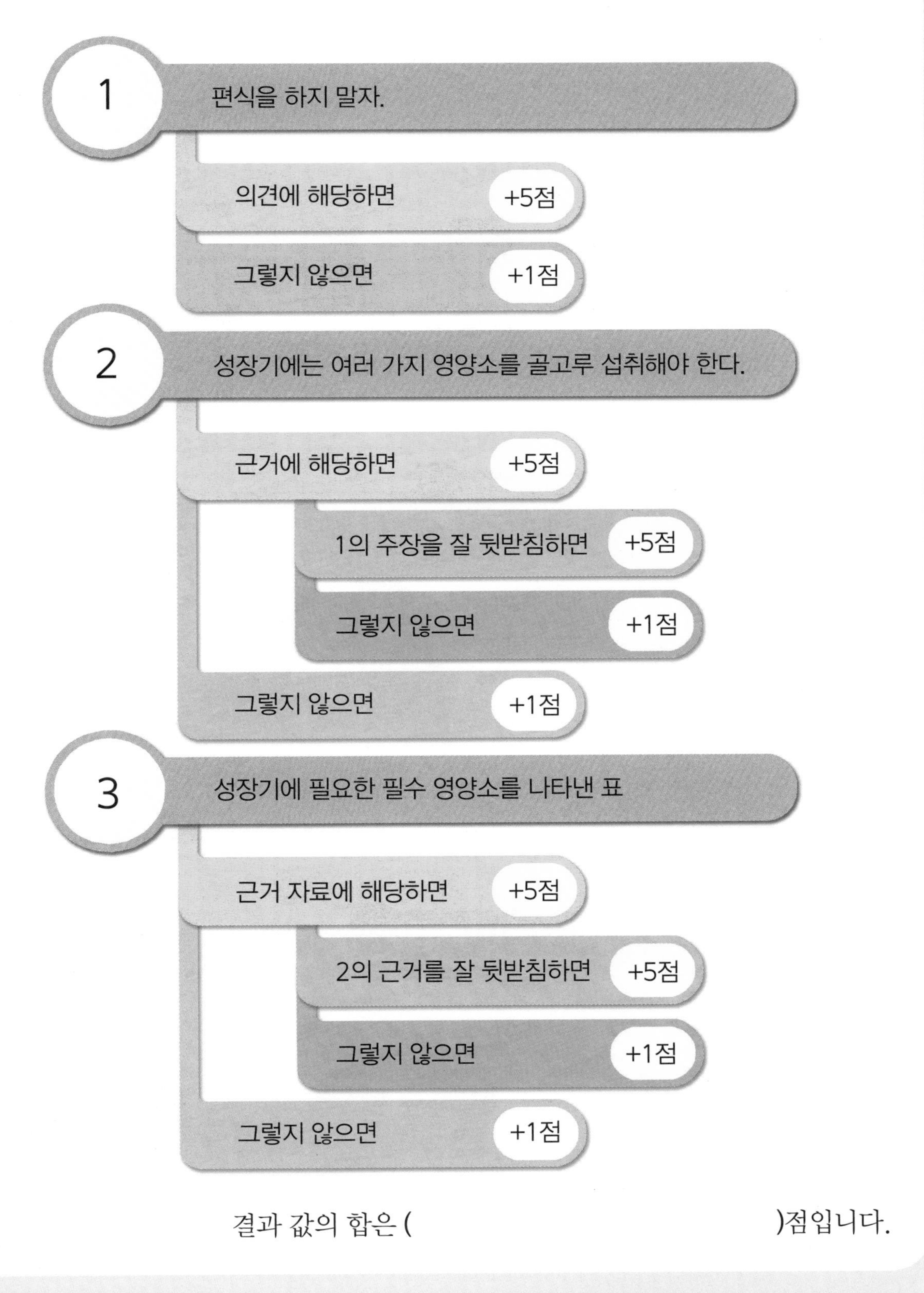

결과 값의 합은 (　　　　　　　　　　　　　　)점입니다.

3주

3주에는 무엇을 공부할까? 1

1일 주제 어휘 > 계절 날씨와 관련된 말

물오르다
꽃샘
무더위
불볕더위
청명하다
천고마비
한파
삼한 사온

2일 교과 어휘 국어 > 중심과 관련된 말

중심
중심 낱말
중심 문장
중심 내용

3일 알쏭 어휘 > 으스스하다 / 으시시하다…

으스스하다/
으시시하다
삼가다/삼가하다
안/않
지그시/지긋이

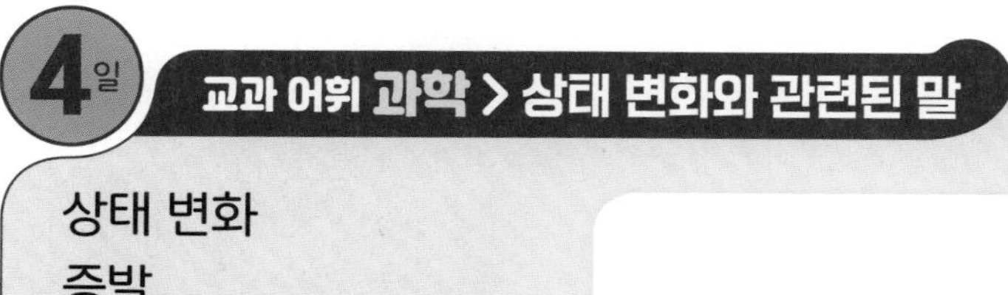

상태 변화
증발
끓음
응결

5일 한자 어휘 > 風 바람 풍 雨 비 우

풍속
순풍
강풍
우산
우천
강우량

속담 플러스

'봄 추위가 장독 깬다'는 무슨 뜻일까?

3주 3주에는 무엇을 공부할까? ②

계절 날씨와 관련된 말

다음 그림을 보고 빈칸에 들어갈 알맞은 말에 ○표 하세요.

(1) 올해 여름은 (무더위 / 무서리)가 이어지고 있다.

(2) 여름 날씨는 매우 (후텁지근 / 쌀쌀)하다.

[국어] 중심과 관련된 말

다음 내용의 중심이 되는 낱말을 보기에서 찾아 쓰세요.

낙타는 등에 큰 혹을 가지고 있는 동물이다. 낙타는 사막과 초원에서 살고 나무의 가지나 잎을 먹는다. 낙타의 발가락은 2개이며, 모래로 된 땅을 걸어 다니기에 알맞다.

보기

나무 낙타 발가락 모래

( )

3주

교과 어휘 3

[과학] 상태 변화와 관련된 말

다음 보기 에서 알맞은 낱말을 찾아 빈칸에 써넣으세요.

보기

증발　　고체　　이슬

주전자 속 물을 끓이자 수증기가 되어 ○○되었다. ➔ ○○

한자 어휘 4

風 바람 풍 雨 비 우

다음 ○에 공통으로 들어갈 글자를 쓰세요.

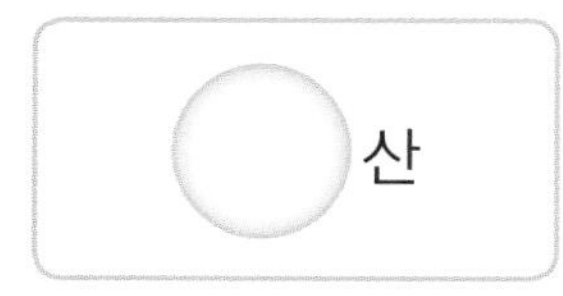

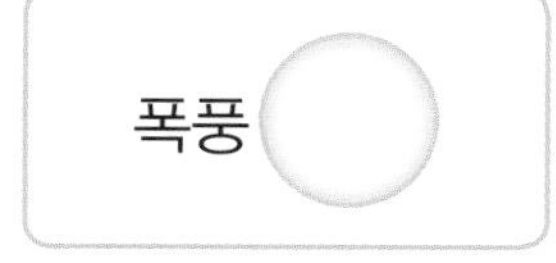

○비　　○산　　폭풍○

계절 날씨와 관련된 말

오늘의 어휘

봄놀이

봄철에 야외에서 즐겁게 보내는 활동.

예 우리 봄놀이 가서 꽃구경하자.

오늘의 어휘

쾌청하다

구름이 끼지 않아 상쾌하게 날씨가 맑다.

예 날씨가 쾌청하니 기분이 좋다.

계절 날씨와 관련된 말

봄

땅이 녹고 나무에 물오르면

물오르다 – 봄철에 나무에 물기가 스며 오르다.

애가지가 나고 꽃이 피지.

애가지 – 봄철에 새로 돋는 어리고 연한 나뭇가지.

봄놀이를 갔는데.

봄놀이 – 봄철에 나들이하며 즐기는 놀이.

깜빡 졸아 봄꿈을 꾸었네.

봄꿈 – 따뜻한 봄날에 나른해져 깜빡 잠든 사이에 꾸는 꿈.

앗! 꽃샘이다! 봄 날씨는 믿을 게 못 돼.

꽃샘 – 이른 봄, 꽃이 필 무렵의 추위. 꽃샘추위.

계절에 따른 생활

여름

무더위가 왔어.

무더위 – (물 + 더위). 습도가 높아 찌는 듯 견디기 힘든 더위.

더 못 견디는 건 불볕더위지.

불볕더위 – 햇볕이 몹시 뜨겁게 내리쬘 때의 더위.

날이 정말 후텁지근해.

후텁지근하다 – 조금 불쾌할 정도로 끈끈하고 무더운 기운이 있다.

그래도 장마는 싫어.

장마 – 여름철 여러 날 계속해서 비가 내리는 날씨.

친구와 멱이나 감으러 가야겠어.

멱 – '미역'의 준말. 물에 몸을 담그고 씻거나 노는 일.

가을

청명한 날씨가 계속되지.
청명하다 – 날씨가 맑고 밝다.

날이 쾌청해서 기분이 좋아.
쾌청하다 – 구름 한 점 없이 날씨가 맑다.

천고마비의 계절이라 책이 술술 읽혀.
천고마비(天하늘 천 高 높을 고 馬 말 마 肥 살찔 비)
–하늘이 높고 말이 살찐다는 뜻으로 가을철을 이르는 말.

이제 찬바람머리에 와 있나 봐.
날이 제법 쌀쌀해졌어.
찬바람머리 – 가을철에 싸늘한 바람이 불 무렵.

그런데 곧 있으면 무서리가 내린대.
무서리 – 늦가을에 처음 내리는 묽은 서리.
*된서리 – 늦가을에 아주 되게(심하게) 내리는 서리.

겨울

한파가 들이닥쳤어.
한파 – 겨울철에 갑자기 추워지는 현상.

강이 언 걸 보니 혹한기야.
혹한기 – 몹시 심한 추위가 있는 시기.

추워도 숫눈을 밟는 기분은 좋아.
숫눈 – 눈이 와서 쌓인 상태 그대로의 눈.
*마른눈 – 비가 섞이지 않고 내리는 눈.
*진눈깨비 – 비가 섞여 내리는 눈.

삼한 사온이라 늘 춥지만은 않다는데
삼한 사온(三석 삼 寒 찰 한 四 넉 사 溫 따뜻할 온)
–사흘 동안 춥고 나흘 동안 따뜻한 겨울 날씨.

에취! 이런, 고뿔이 들었네.
고뿔 – 감기.

어서 날씨가 푹해졌으면 좋겠다.
푹하다 – 겨울 날씨가 춥지 않고 따뜻하다.

3주

1일

기초 집중연습

1 봄과 관련한 날씨를 나타내는 낱말로 알맞은 것은 무엇입니까? ( )

① 한파 ② 꽃샘 ③ 혹한기
④ 천고마비 ⑤ 삼한 사온

2 계절과 관련된 낱말이 어색한 문장에 ×표 하시오.

(1) 가을에는 삼한 사온의 날씨가 반복된다. ( )
(2) 봄에는 물오른 나뭇가지에 새잎이 난다. ( )
(3) 겨울철 고뿔에 걸리지 않으려면 옷을 두껍게 입어야 한다. ( )

3 다음 대화의 빈칸에 공통으로 들어갈 말은 무엇입니까? ( )

① 장마 ② 봄꿈 ③ 서리 ④ 이슬 ⑤ 우박

4 ☐ 안에 들어갈 낱말을 찾아 선으로 이으시오.

(1) 여름이라서 밤에도 ☐. • • ① 푹하다
(2) 하늘이 푸르고 구름이 없어서 ☐. • • ② 청명하다
(3) 겨울인데도 춥지 않고 ☐. • • ③ 후텁지근하다

5 다음 십자말풀이를 해 보시오.

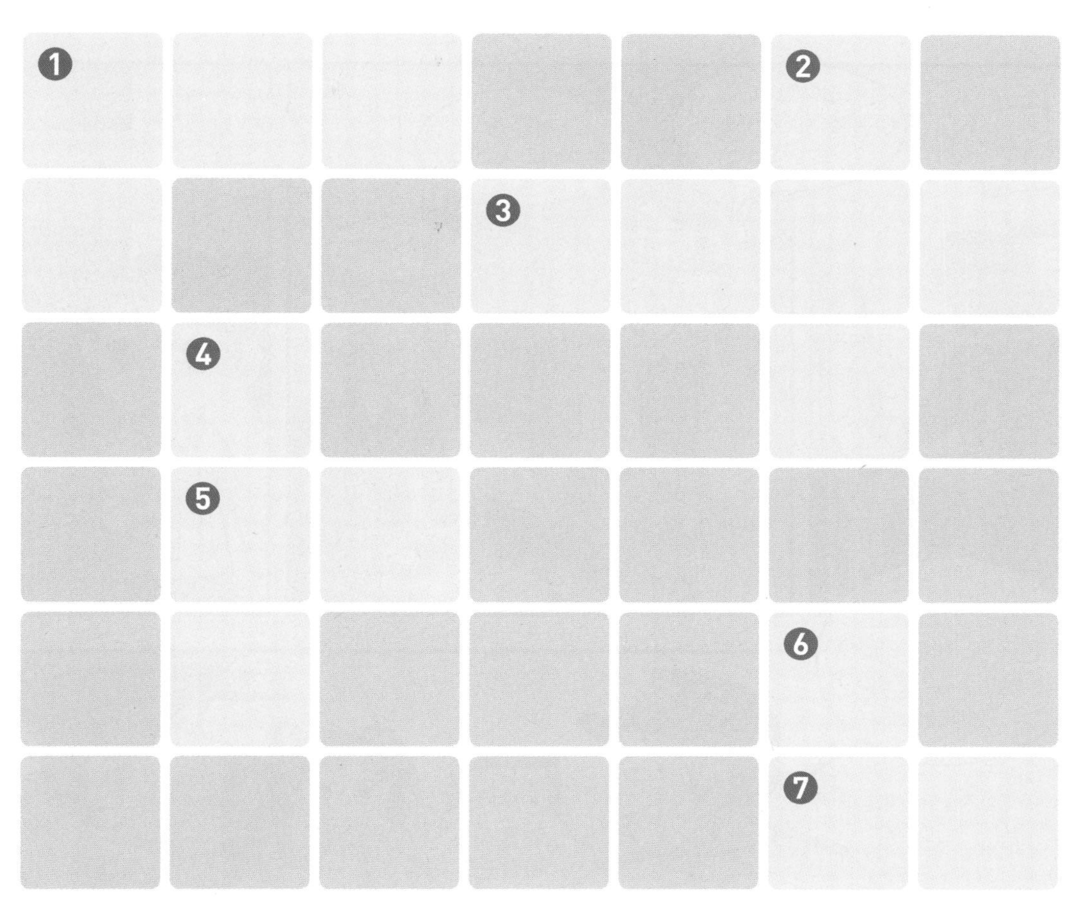

➔ 가로

❶ 봄철에 나들이하며 즐기는 놀이.
　예 ○○○를 가서 봄꽃을 보고 오자.
❸ 햇볕이 몹시 뜨겁게 내리쬘 때의 더위.
　예 한낮의 ○○○○에는 시원한 곳에 있어야 합니다.
❺ 겨울철에 갑자기 추워지는 현상.
❼ 날씨가 맑고 밝음.

↓ 세로

❶ 따뜻한 봄날에 나른해져 깜빡 잠든 사이에 꾸는 꿈.
❷ 습도가 높아 찌는 듯 견디기 힘든 더위.
❹ 몹시 심한 추위가 있는 시기.
　예 ○○○를 앞두고 어려운 이웃들에게 연탄을 주는 봉사 활동을 하였습니다.
❻ 구름 한 점 없이 날씨가 맑음.
　예 ○○한 가을의 하늘.

3주

중심과 관련된 말

오늘의 어휘

중심 문장

한 편의 글이나 한 문단에서 중심 생각이 담겨 있는 문장.

예 연극 「햄릿」의 중심 문장은 "사느냐 죽느냐, 그것이 문제로다."이다.

3주

오늘의 어휘

중심 내용

글이나 문단의 가장 중심적인 부분.

예 동화 「미운 오리 새끼」의 중심 내용은 겉모습보다 아름다운 마음이 중요하다는 것이다.

중심 » 중심 내용

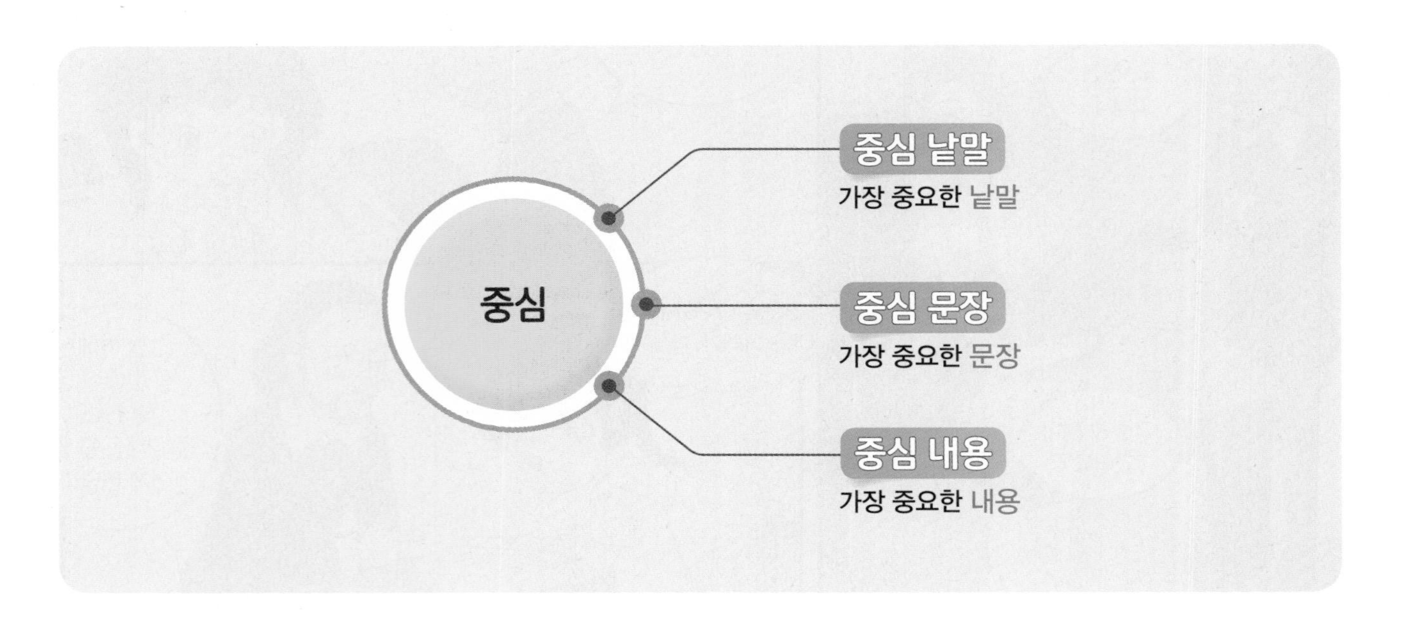

중심

'중심'은 '한가운데'라는 뜻이야. 귀한 것을 한가운데에 두었을 테니까 '중심'이 매우 중요한 부분이라는 뜻도 가지게 되었지. 이야기의 주인공도 '중심 인물'이라고 하잖아.

㉥ 중심에 서서 이야기하겠습니다.

㉥ 동화의 중심 인물이 이야기를 이끌어 갑니다.

중심 낱말

중 심 이 되는 낱 말

문단이나 글에서 다루고자 하는 가장 중요한 낱말을 중심 낱말이라고 해. 설명하는 글은 대부분 설명하는 대상이 중심 낱말이야. 로봇에 대해 설명하는 글은 중심 낱말이 로봇이고, 나무에 대해 설명하는 글은 중심 낱말이 나무가 되지.

㉥ 장승에 대해 설명하는 글에서 중심 낱말은 '장승'입니다.

중심 문장

중심이 되는 문장

문단에서 가장 중요한 문장이 중심 문장이야. 중심 문장은 그 문단이 어떤 내용을 말하는지를 알려 주는 문장이지. 중심 문장은 문단의 처음에 올 수도 있고 가운데나 끝에 올 수도 있어.

중심 내용

중심이 되는 내용

문단이나 글에서 전하고자 하는 가장 중요한 내용을 중심 내용이라고 해. 글의 중심 내용은 각 문단의 중심 문장을 정리하면 알 수 있어. 글의 중심 내용은 주제를 드러내기도 해.

예 『흥부전』의 중심 내용은 '흥부가 착하게 살아서 복을 받았다.'입니다.

중심 문장: 책을 읽으면 좋은 점 1

중심 문장: 책을 읽으면 좋은 점 2

책을 읽으면 다양한 경험을 할 수 있습니다. 배경이 되는 장소나 인물들이 겪는 여러 가지 일들은 우리를 다양한 경험의 세계로 이끕니다.

책을 읽으면 글쓴이가 말하고자 하는 생각을 알 수 있습니다. 글쓴이는 꿈과 희망을 이야기하고 우리 주변의 사람들에 대해 관심을 가질 것을 말하기도 합니다. 그리고 용기를 가지고 도전을 하라고 어깨를 두드려 주기도 합니다.

중심 내용은 '책을 읽자.' 라는 것이야.

1 '중심'을 넣어 문장을 지은 것입니다. 어색한 것은 어느 것입니까? ( )

① 화살이 과녁의 중심을 맞혔다.
② 학교는 학생이 중심이 되어야 한다.
③ 이 지역은 배추 농사가 중심을 이룬다.
④ 중심이 반칙이라며 호루라기를 불었다.
⑤ 축구를 좋아하는 친구들이 중심이 되어 모둠을 만들었다.

2 다음 글에서 중심 낱말을 찾아 쓰시오.

> 로봇에는 여러 종류가 있습니다. 감시용 로봇, 해양 탐사 로봇, 의료용 로봇 등이 있습니다.

( )

3 다음 문단에서 중심 문장을 찾아 기호를 쓰시오.

> ㉠ 옛날 우리나라 집의 형태는 여러 가지였습니다. ㉡ 기와집은 주로 양반들이 살았던 집으로, 지붕에 기와를 얹었습니다. ㉢ 초가집은 주로 서민들이 살았던 집으로, 갈대나 볏짚 따위로 지붕을 덮은 집입니다. ㉣ 너와집은 산이 많은 지역에서 볼 수 있는 집으로, 널빤지로 지붕을 덮은 집입니다.

( )

4 다음과 같은 내용이 담긴 글의 제목으로 알맞은 것에 ○표 하시오.

> 제목: 옛날에는 어떤 과자를 먹었을까 / 옛날과 오늘날의 과자
>
> ❶ 문단: 한과의 뜻과 종류
> ❷ 문단: 약과의 재료와 만드는 방법
> ❸ 문단: 강정의 재료와 만드는 방법
> ❹ 문단: 엿의 재료와 만드는 방법

5 다음 십자말풀이를 해 보시오.

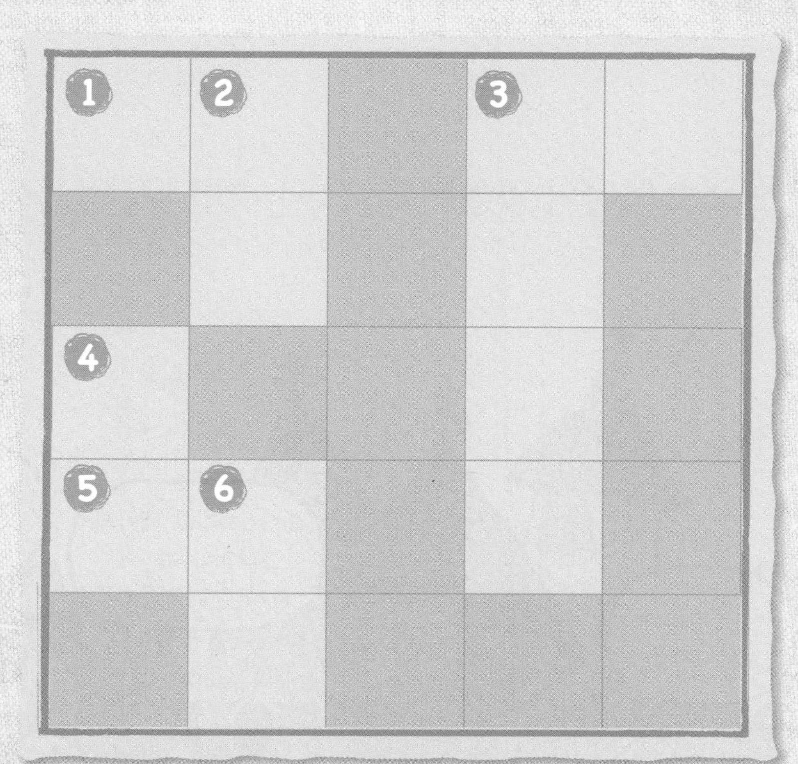

→ 가로

1. 한가운데 또는 중요한 부분.
3. 문장이 몇 개 모여 한 가지의 생각을 나타내는 것.
   예 ○○이 모여서 한 편의 글이 됩니다.
5. 글에서 내용을 드러내기 위하여 가장 처음에 붙이는 것. 글의 이름.
   예 그 책 ○○이 뭐야?

↓ 세로

2. 이야기 『심청전』의 중심 인물. 아버지의 눈을 뜨게 하려고 인당수에 빠지는 인물.
3. 문장의 뜻을 잘 전하기 위하여 쓰는 여러 가지 부호. 쉼표, 마침표, 물음표, 느낌표 따위.
4. 글에서 글쓴이가 전하고자 하는 중심 생각.
   예 『심청전』의 ○○는 '부모님께 효도하자.'입니다.
6. 이야기 『피노키오』의 인물인 제페토 할아버지의 직업. 나무로 집을 짓거나 가구 같은 것을 만드는 일을 하는 사람.

① 으스스하다 / 으시시하다

Q 으스스하다가 맞을까요, 으시시하다가 맞을까요?

A 으스스하다(○)

몸에 소름이 돋는 느낌을 표현하는 말로 '으스스하다'가 맞아요. 흔히 '으시시하다'와 헷갈리는데, '으스스하다'라고 바르게 써야 해요.

예 감기 기운 때문에 몸이 으스스하다.

예 이 영화의 분위기는 으스스하다.

② 삼가다 / 삼가하다

Q 삼가다가 맞을까요, 삼가하다가 맞을까요?

A 삼가다(○)

말이나 행동을 조심스럽게 하다 또는 꺼리는 마음으로 그 횟수를 지나치지 않게 줄이다를 '삼가다'라고 해요. '삼가하다'라고 잘못 쓰는 경우가 많은데, '삼가다'가 바른 표현이에요.

예 미세 먼지가 많으니 외출을 삼가 주세요.

예 금연 구역에서는 흡연을 삼가 주세요.

③ 안 / 않

Q 안 잡아먹을까요, 않 잡아먹을까요?

A 안 잡아먹지 (○)

'안'은 '아니'의 준말이고, '않'은 '아니하다'의 준말이에요. 둘 다 부정이나 반대의 뜻을 나타내는 말이지만 쓰이는 곳이 달라요. '안 먹다'와 같이 서술하는 말을 꾸며 줄 때에는 '안'을 써요. '먹지 않다'와 같이 문장 끝에서 서술하는 말로 쓰일 때에는 '않'을 써요.

예 점심을 안 먹었더니 배가 고프다.

예 오늘은 점심을 먹지 않았다.

④ 지그시 / 지긋이

Q 눈을 지그시 감을까요, 지긋이 감을까요?

A 지그시 눈을 감다(○)

'지그시'는 슬며시 힘을 주는 모양을 뜻하는 말이에요. '지긋이'는 나이가 꽤 들었음을 뜻하는 말이지요. '지그시'와 '지긋이'는 똑같이 소리 나는 낱말이라 헷갈릴 수 있으니 잘 구별해서 써야 해요.

예 눈을 지그시 감았다.

예 그 사람도 나이가 지긋이 들었다.

3일

기초 집중연습

1 (　　) 안에 들어갈 알맞은 말에 ◯표 하시오.

(1) 눈을 (지그시 / 지긋이) 감고 빗소리를 들어 보세요.

(2) 미세 먼지가 많은 날에는 외출을 (삼가 / 삼가해) 주세요.

(3) 늦은 밤 골목길의 분위기가 (으시시하다 / 으스스하다).

2 빈칸에 들어갈 알맞은 말에 ◯표 하시오.

(1) 아침을 ☐ 먹어서 배가 고픕니다. (안 / 않)

(2) 숙제를 하지 ☐아서 걱정되었습니다. (안 / 않)

(3) 우산을 가져오지 ☐아서 비를 맞았습니다. (안 / 않)

3 밑줄 그은 낱말을 바르게 고쳐 쓰시오.

(1) 복도에서 뛰는 행동은 <u>삼가해</u> 주세요.

(2) 형사가 눈을 <u>지긋이</u> 감고 깊이 생각에 잠겼다.

(3) 감기에 걸렸는지 몸이 <u>으시시</u>하다.

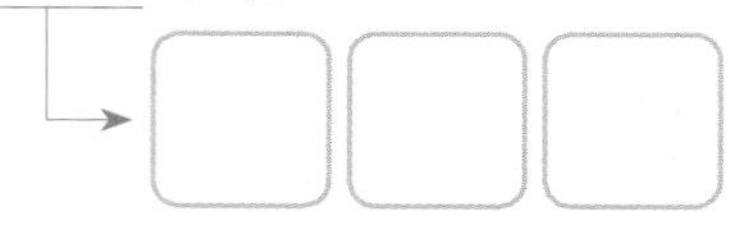

4 빈칸에 들어갈 알맞은 말을 쓰시오.

친구네 집 개는 생각보다 의젓합니다. 밤이 되면 함부로 시끄럽게 짖지 않습니다. 대소변을 잘 가려서 친구네 부모님이 아주 예뻐합니다. 마당에 엎드려 눈을 감은 모습을 보니 나이가 지 ☐ ☐ 든 어른처럼 보입니다.

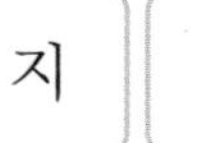

5 밑줄 그은 낱말이 알맞으면 ○표, 알맞지 않으면 ×표로 표시된 길을 따라가며 선을 그으시오.

3주

상태 변화와 관련된 말

오늘의 어휘

끓음

액체의 겉과 속으로부터 공기 방울이 발생하면서 기체가 되는 현상.

예 물의 끓음을 이용하여 증기 기관을 만들다.

오늘의 어휘

증발

어떤 물질이 액체 상태에서 기체 상태로 변함. 또는 그런 현상.

예 빨래가 마르는 것은 물의 증발 현상이다.

상태 변화 » 응결

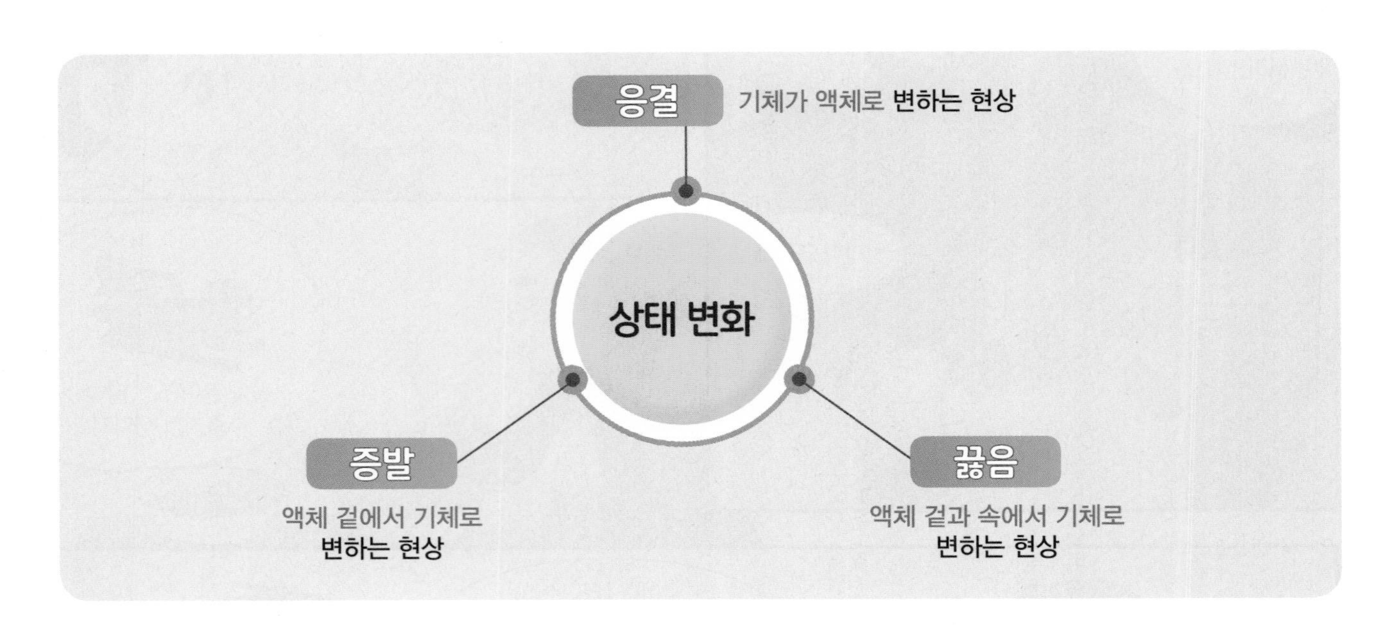

상태 변화

물질의 상(狀) 태(態)가 변(變) 화(化)하는 것

물질은 한 가지 상태(모양)로만 있는 것이 아니라 다른 상태로 바뀌기도 해. 이렇게 물질의 상태가 변하는 것을 물질의 상태 변화라고 해. 물에 열을 가하면 수증기가 되고, 수증기를 차갑게 하면 다시 물방울이 되지. 물이 수증기가 되었다고 물 자체가 바뀌는 것은 아니야. 물의 상태만 변하는 거야.

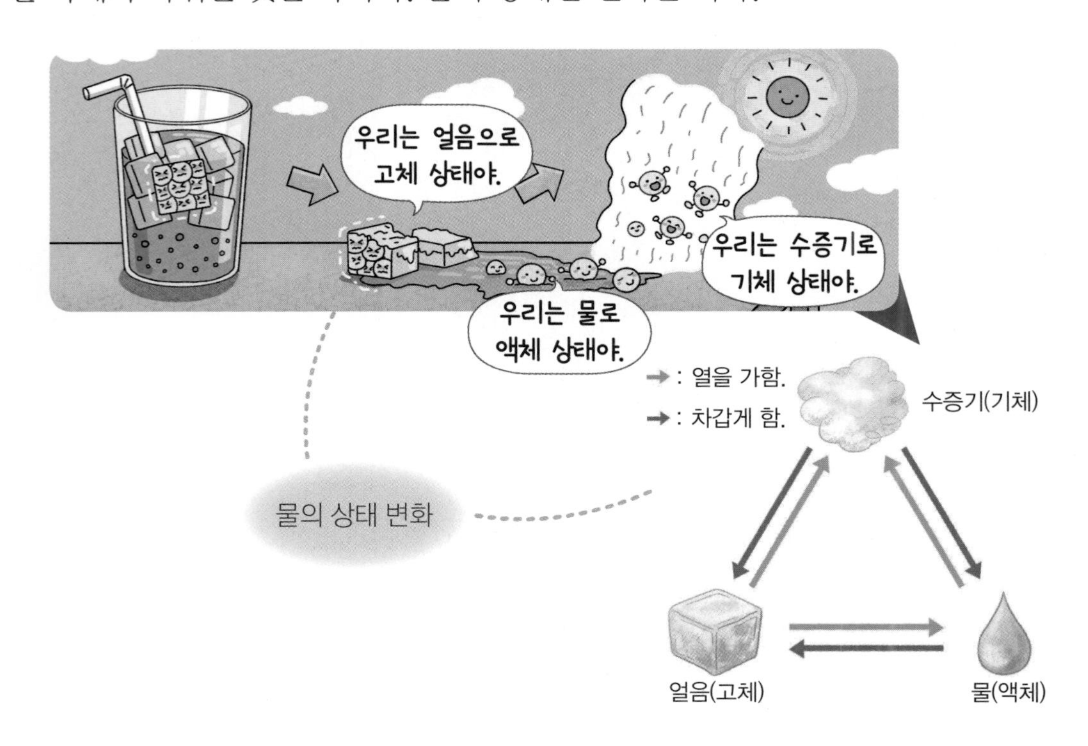

증발

액체의 겉에서 기체 상태로 변하는 것을 증발이라고 해. 젖은 빨래를 널어놓으면 물이 증발하여 빨래가 마르지.

예 마당에 뿌린 물이 마르는 것은 증발과 관련이 있습니다.

▲ 바닷물을 증발시켜 소금을 얻는 염전

끓음

액체에 열을 가하면 액체 겉과 속에서 액체가 기체 상태로 변하는데, 이를 끓음이라고 해. 물을 끓이면 수증기가 되지.

◀ 보리차가 끓는 모습

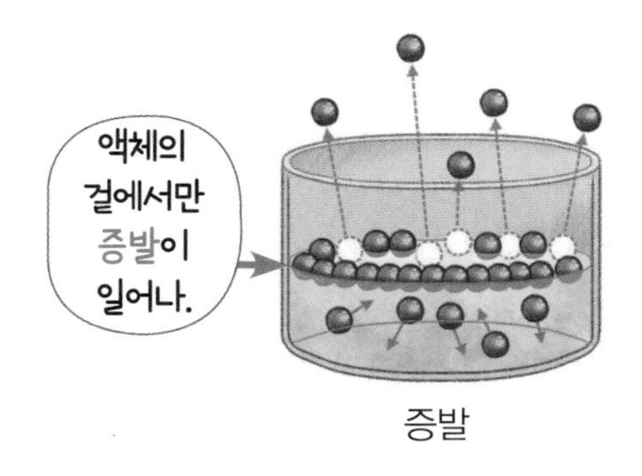

증발

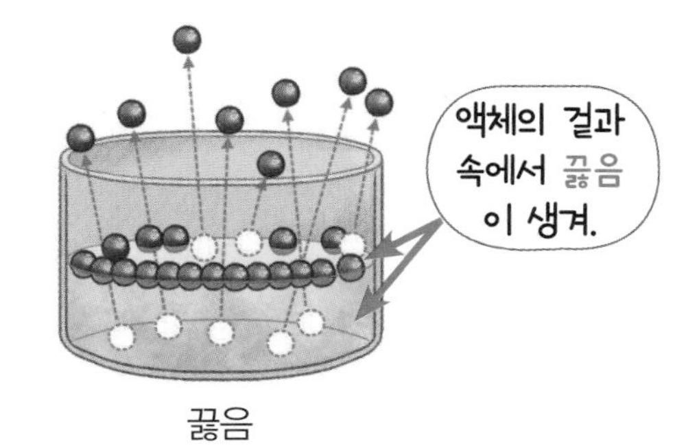

끓음

응결

기체 상태의 물질을 차게 하면 액체 상태의 물질로 변하는데, 이를 응결이라고 해. 냉장고에서 꺼낸 차가운 물병 겉에 물방울이 맺히는 것은 기체인 수증기가 물로 응결된 거야. 안개나 구름도 수증기의 응결 때문에 생긴 현상이야.

예 이슬은 공기 중 수증기가 응결해 풀잎에 맺힌 것입니다.

▲ 풀잎에 맺힌 이슬

3주

4일

기초 집중연습

1 물의 '증발'과 관련된 예로 알맞지 않은 것은 무엇입니까? ( )

① 젖은 머리카락을 말린다.
② 고추, 미역, 오징어 등을 말린다.
③ 수채 물감으로 그린 그림이 마른다.
④ 비 온 뒤에 젖어 있던 길이 해가 나오면 마른다.
⑤ 물을 끓이면 물의 양이 줄어들고 거품이 생긴다.

2 다음은 물이 끓어서 된 상태를 뜻하는 낱말입니다. 뜻과 첫 자음자를 참고하여 ◯ 안에 알맞은 낱말을 쓰시오.

뜻: 물의 상태 변화로 생긴, 색도 없고 냄새도 없는 투명한 기체.

〈첫 자음자〉
ㅅ ㅈ ㄱ

◯◯◯

3 오른쪽과 같이 거미줄에 이슬이 맺힌 현상과 관련 있는 낱말에 ◯표 하시오.

(1) 증발 ( )
(2) 끓음 ( )
(3) 응결 ( )

4 '응결'과 관련된 예로 알맞지 않은 것은 무엇입니까? ( )

① 안개가 생긴다.
② 구름이 만들어진다.
③ 물을 얼리면 얼음이 된다.
④ 목욕탕 거울에 물방울이 맺힌다.
⑤ 얼음을 담아 놓은 컵의 겉에 물방울이 맺힌다.

5 글자를 골라 뜻에 알맞은 어휘를 쓰시오.

(1)

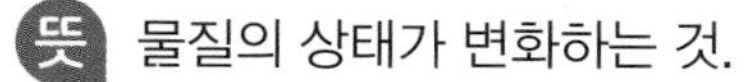
뜻 물질의 상태가 변화하는 것.

예 물이 수증기나 얼음이 되는 것은 물의 ○○ ○○입니다.

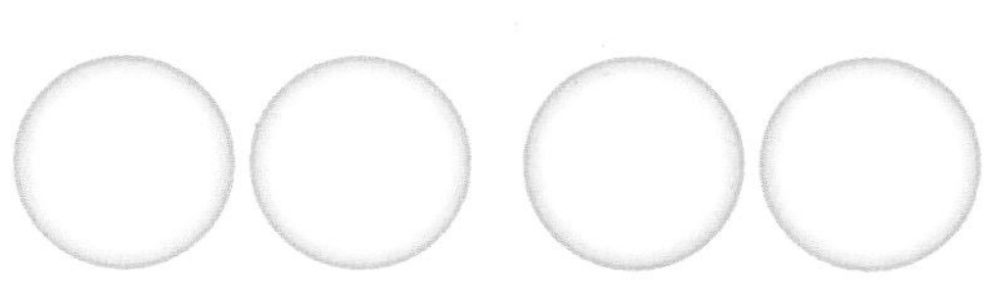

---

(2)

뜻 액체 상태의 물질이 겉에서 기체 상태로 변하는 것.

예 빨래에서 물이 ○○하여 빨래가 다 말랐습니다.

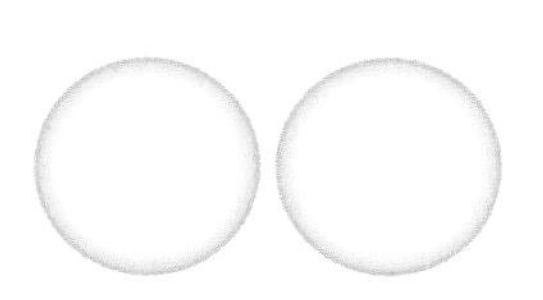

---

(3)

끓 보 전 자 가
리 음 녹 임 데
차 주 얼 림 움

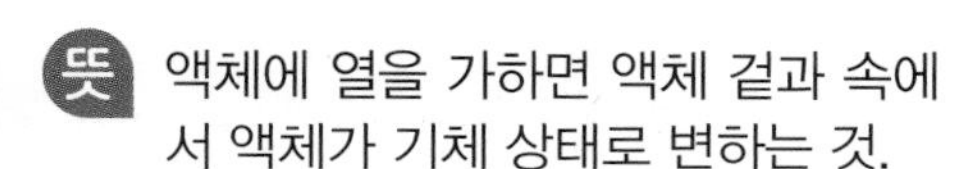
뜻 액체에 열을 가하면 액체 겉과 속에서 액체가 기체 상태로 변하는 것.

예 ○○은 증발할 때보다 액체의 양이 빠르게 줄어듭니다.

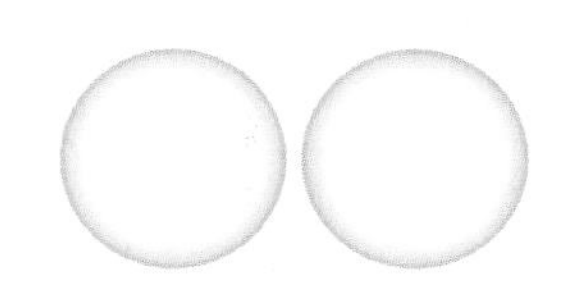

---

(4)

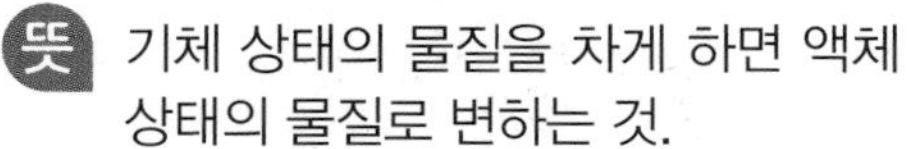
뜻 기체 상태의 물질을 차게 하면 액체 상태의 물질로 변하는 것.

예 안개는 수증기가 ○○하여 작은 물방울 상태로 공기 중에 떠 있는 것입니다.

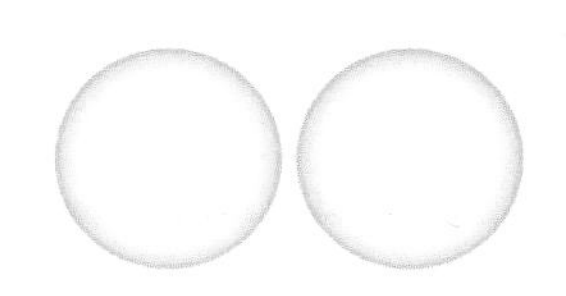

3 주

風이 들어간 말

{ 옛날에 바람을 만드는 새라고 믿었던 봉황의 모습을 본뜬 글자로 **바람**을 뜻해요. }

바람 풍

급수 | 6급 부수 | 風 획수 | 총 9획

바람 풍

천천히 따라 쓰세요.

QR을 보며 따라 써요!

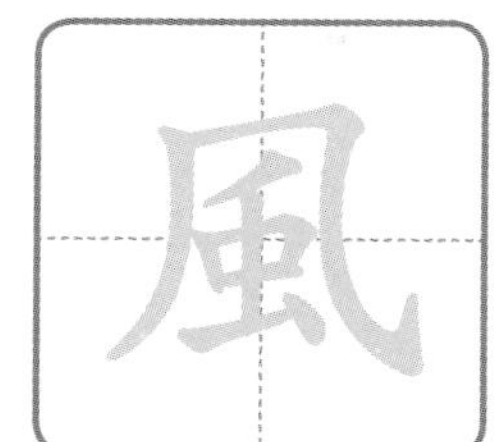

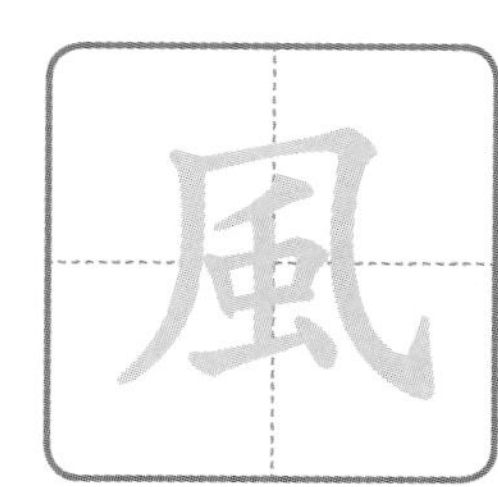

3주

풍속 바람의 속도.

- **풍속**이 매우 빠릅니다.

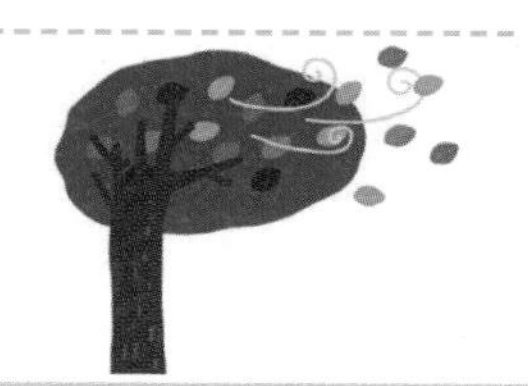

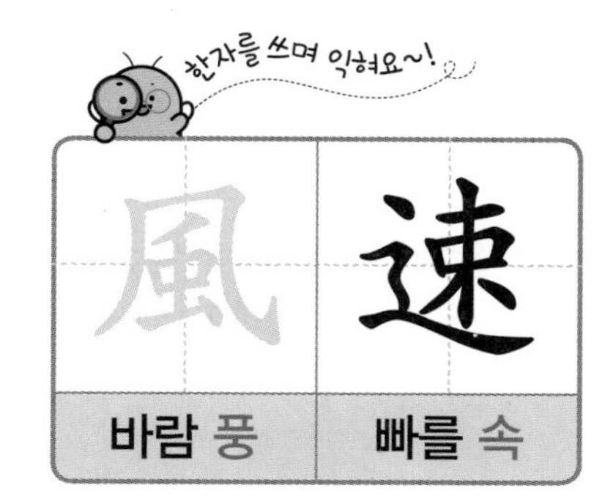

순풍 배가 가는 쪽으로 부는 바람.

- **순풍**이 분다, 돛을 올려라!

順	風
순할 순	바람 풍

강풍 세게 부는 바람.

- **강풍**에 나무가 흔들린다.

雨가 들어간 말

비 우

구름 아래로 물방울이 떨어지는 모습을 표현한 글자로 비를 뜻해요.

급수 | 5급　부수 | 雨　획수 | 총 8획

QR을 보며 따라 써요!

비 우

천천히 따라 쓰세요.

우산 비를 가리는 물건.

비가 올 것 같으니 **우산**을 챙기자.

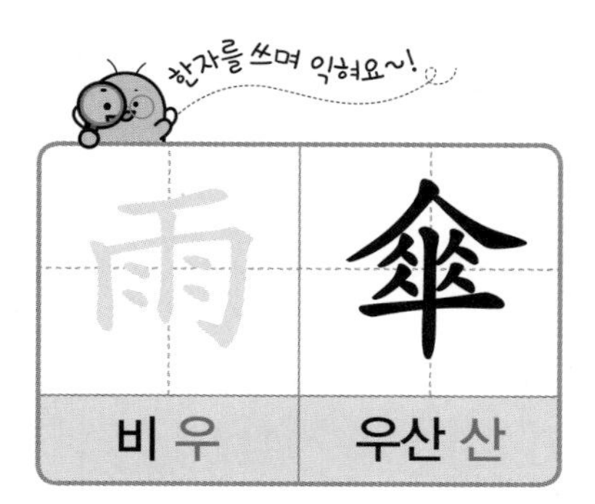

우천 비가 오는 날씨.

우천 시에는 행사가 취소될 예정입니다.

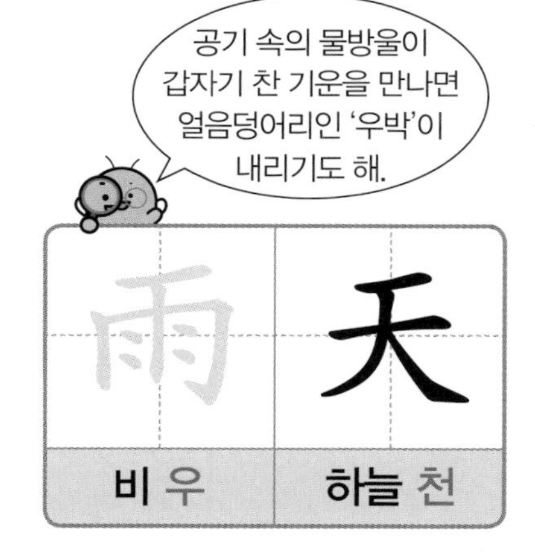

강우량 일정한 기간 동안 일정한 곳에 내린 비의 양.

우리 지역의 예상 **강우량**은 12~14mm입니다.

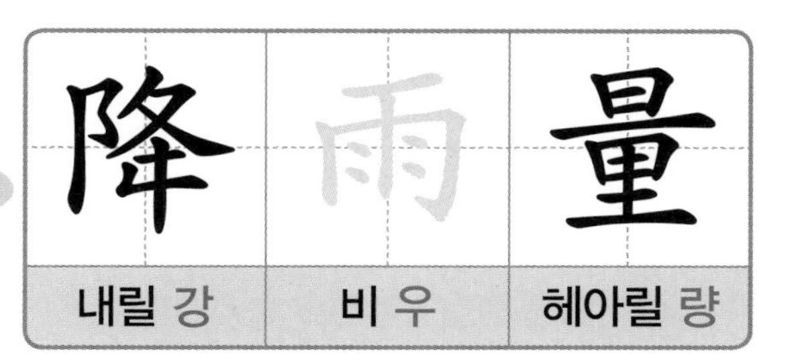

3주

5일 기초 집중연습

1 밑줄 그은 낱말에 쓰인 '풍'의 뜻은 무엇입니까? ( )

내일은 태풍의 영향으로 전국에 강풍이 불고 많은 비가 내리겠습니다.

① 방향 ② 바람 ③ 속도 ④ 구름 ⑤ 세기

2 다음 뜻을 가진 말을 보기에서 찾아 쓰시오.

보기
풍력 우산 풍속 우박

(1) 바람이 부는 기세 또는 세기.
예 ○○을 이용해 전기 에너지를 만들 수 있다.
□□

(2) 비를 가리기 위하여 사용하는 물건.
예 동생은 비가 오면 ○○을 쓰고 나간다.
□□

(3) 큰 물방울들이 공중에서 갑자기 찬 기운을 만나 얼어 떨어지는 얼음덩어리.
예 갑자기 ○○이 투두둑 쏟아졌다.
□□

3 낱말의 뜻으로 알맞은 것을 찾아 선으로 이으시오.

(1) 우산 • • ① 비가 오는 날씨.

(2) 풍속 • • ② 바람의 속도.

(3) 우천 • • ③ 비를 가리는 물건.

4 힌트 를 보고, 다음 빈칸에 들어갈 알맞은 글자를 써넣으시오.

	순
강	

힌트
- 순☐ : 배가 가는 쪽으로 부는 바람.
- 강☐ : 세게 부는 바람.

5 다음 밑줄 그은 '우' 자 중 '비'의 뜻이 아닌 것은 무엇입니까? ············ ( )

① 우산 ② 우비 ③ 우천 ④ 강우량 ⑤ 우정

6 밑줄 그은 한자어를 보기 에서 찾아 번호를 쓰시오.

보기
① 順風 ② 雨傘 ③ 風速 ④ 雨天

(1) 우산을 쓰고 비 오는 거리를 걸었습니다. ( )

(2) 선풍기의 풍속을 약하게 조절하였습니다. ( )

7 다음 한자어의 뜻을 보고 빈칸에 알맞은 한자를 써넣으시오.

뜻
- 강우량 : 일정한 기간 동안 일정 한 곳에 내린 비의 양.

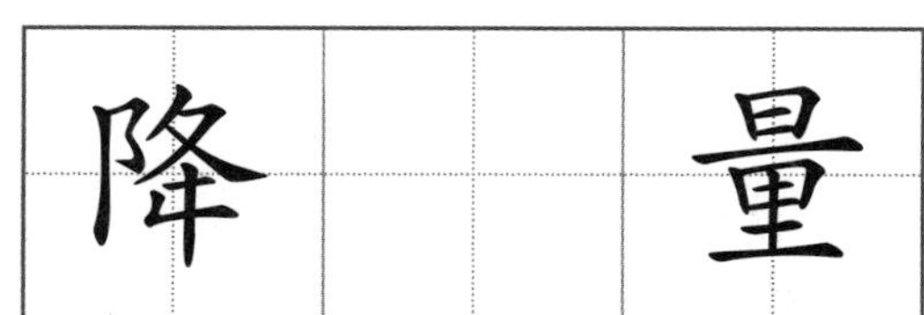

3주 누구나 100점 TEST

1 다음 뜻에 알맞은 낱말을 보기에서 찾아 쓰시오.

보기
한파 무더위 꽃샘

(1) 습도가 높아 찌는 듯 견디기 힘든 더위.

( )

(2) 겨울철에 갑자기 추워지는 현상.

( )

(3) 이른 봄, 꽃이 필 무렵의 추위.

( )

2 가을과 관련한 날씨를 나타내는 낱말이 아닌 것은 무엇입니까? ( )

① 애가지 ② 무서리
③ 청명하다 ④ 천고마비
⑤ 찬바람머리

3 빈칸에 알맞은 말을 첫 자음자를 참고하여 써넣으시오.

→ ㅈ ㅅ ㅁ ㅈ

4 다음 글에서 중심 낱말은 무엇입니까? ( )

책을 읽으면 다양한 경험을 할 수 있습니다. 또한 책을 읽으면 글쓴이가 말하고자 하는 생각을 알 수 있습니다.

① 책 ② 경험 ③ 생각
④ 말 ⑤ 글쓴이

5 밑줄 그은 낱말이 알맞게 쓰이지 않은 것은 무엇입니까? ( )

① 몸에 무리가 가는 운동을 삼가다.
② 그는 나이가 지긋이 들어 보인다.
③ 공포 영화의 장면이 으스스하다.
④ 아이는 하늘을 지그시 바라보았다.
⑤ 오늘 학교에 준비물을 않 가져왔다.

◐ 정답과 풀이 11쪽 점수 점

6 다음 ( ) 안의 알맞은 낱말을 선으로 이으시오.

(1) 방 정리를 ( )하다. • • ① 으스스

(2) 밤길이 ( )하다. • • ② 안

7 다음과 관련한 현상으로 알맞은 것은 무엇입니까? ( )

젖은 빨래를 널어놓으면 시간이 지나 마른다.

① 응결 ② 끓음 ③ 증발
④ 액체 ⑤ 고체

8 다음 ( ) 안의 알맞은 말에 ○표 하시오.

(1) 차가운 얼음이 든 유리컵의 겉면에 물이 맺히는 것은 수증기가 (응결 / 증발)하여 일어난 현상이다.

(2) 물에 열을 가하면 수증기가 되는 것은 (끓음 / 액체) 현상이다.

9 다음의 낱말의 뜻으로 보아 밑줄 그은 글자가 '풍(風)' 자가 아닌 것의 기호를 쓰시오.

㉠ 강풍: 세게 부는 바람.
㉡ 순풍: 배가 가는 쪽으로 부는 바람.
㉢ 단풍: 기후 변화로 식물의 잎이 붉은빛이나 누런빛으로 변하는 현상.

( )

10 다음 빈칸에 들어갈 알맞은 말을 보기에서 찾아 쓰시오.

보기: 순풍 우산 우천

(1) ☐☐이 불어서 배의 돛을 올렸다.

(2) 밖에 비가 오니, ☐☐을 챙겨야겠다.

(3) ☐☐으로 인해 야구 경기가 취소되었다.

속담 플러스

봄 추위가 장독 깬다

꽃샘추위라고 들어 봤나요? 추운 겨울이 가고 봄이 되었지만 갑자기 오는 추위를 꽃샘추위라고 해요. 봄 추위가 장독 깬다는 봄이 되어 갑자기 오는 꽃샘추위가 얼마나 대단한지 장독에 있는 항아리가 얼어 깨질 정도로 춥다는 뜻이에요.

창의·융합·코딩 ②

사고 쑥쑥

1 자판기에서 음료수를 고르고 있어요. 보기와 같이 제시된 위치의 글자를 모아 낱말을 만들고 질문에 알맞은 답을 쓰세요.

2 아이스크림을 사러 가요. '바람' 또는 '비'라는 뜻이 들어간 낱말을 따라 길을 그려 보세요.

4주에는 무엇을 공부할까? ①

1일 주제 어휘 > 하루 시간과 관련된 말

새벽
아침
점심
저녁
한밤
시간 / 시각

2일 교과 어휘 국어 > 인과 관계를 나타내는 말

원인
결과
이어 주는 말
- 그래서
- 그러나
- 그리고
- 왜냐하면

3일 맞춤 어휘 > 걷히다 / 거치다 …

해코지 / 해꼬지
깍듯이 / 깎듯이
못하다 / 안 하다
걷히다 / 거치다

4일 교과 어휘 사회 > 저출산과 관련된 말

저출산
육아 휴직
고령화
노인 복지
연금

5일 한자 어휘 > 自 스스로 자 動 움직일 동

자립
자유
각자
감동
동물
운동

속담 플러스

'아니 땐 굴뚝에 연기 날까'는 무슨 뜻일까?

4주

4주에는 무엇을 공부할까? ❷

주제 어휘 1 **하루 시간을 나타내는 말**

다음 낱말을 시간 순서대로 쓰세요.

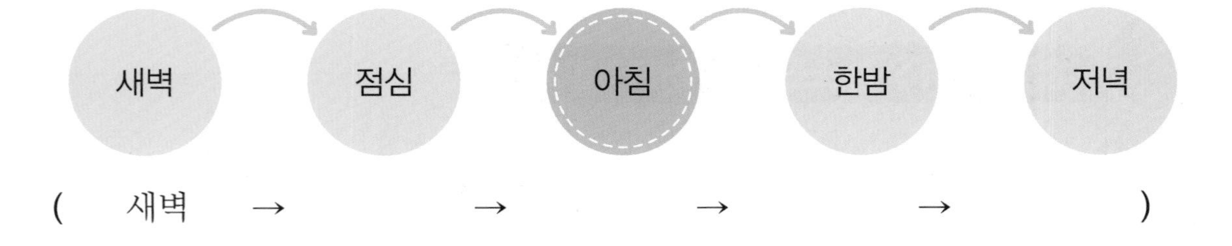

(새벽 → → → →)

주제 어휘 2 **하루 시간을 나타내는 말**

다음 그림에서 떠오르는 어휘에 ◯표 하세요.

(1)

(오전 / 정오 / 오후)

(2)

(오후 / 자정 / 아침)

◐ 정답과 풀이 13쪽

고과 어휘 3

[국어] 인과 관계를 나타내는 말

다음 빈칸에 알맞은 말을 보기에서 골라 쓰세요.

보기

그래서 왜냐하면 그러나

(1) 배탈이 났어요. ( ) 어제 밥을 급하게 먹었기 때문이에요.

(2) 공부를 열심히 했어요. ( ) 좋은 성적을 받았어요.

깎듯이 / 깍듯이

다음 문장에서 밑줄 그은 낱말을 바르게 고쳐 쓰세요.

기혁이는 처음 보는 나의 아버지께 <u>깎듯이</u> 인사를 했다.

깎듯이
↓

하루 시간과 관련된 말

오늘의 어휘

자정

자정: 밤 열두 시. 예 자정에는 잠들어 있었다.

반대말 정오. 낮 열두 시.

오늘의 어휘

시각 / 시간

- 시각: 시간의 어느 한 지점.
  - 예 자정이 넘은 시각에 어딜 가니?
- 시간: 어떤 시각에서 어떤 시각까지의 사이.
  - 예 두 시간 동안 책을 읽었습니다.

시각	시간
▲ 한 시	▲ 한 시간

1 일
주제 어휘

하루 시간과 관련된 말

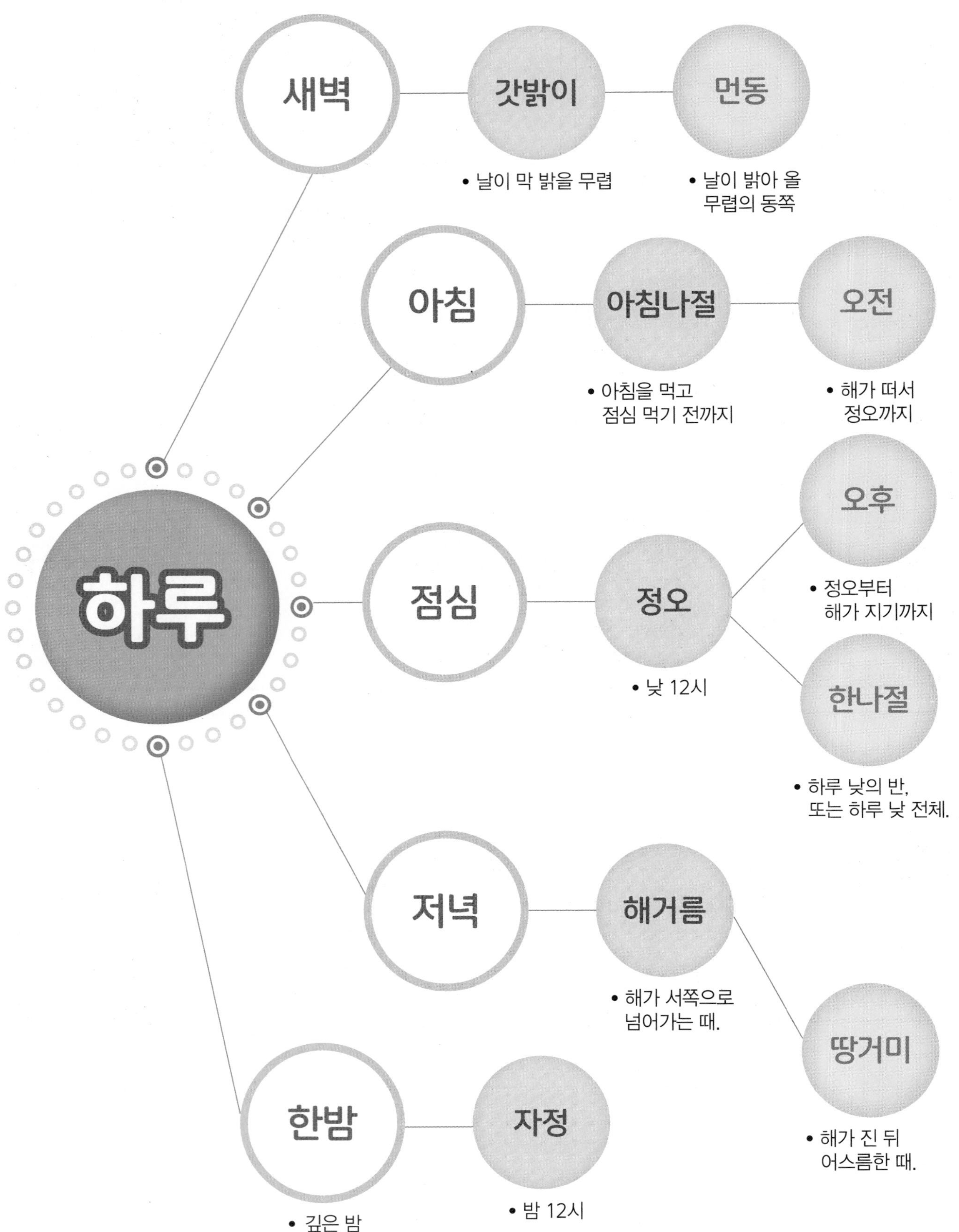
하루
새벽
갓밝이
• 날이 막 밝을 무렵
먼동
• 날이 밝아 올 무렵의 동쪽
아침
아침나절
• 아침을 먹고 점심 먹기 전까지
오전
• 해가 떠서 정오까지
점심
정오
• 낮 12시
오후
• 정오부터 해가 지기까지
한나절
• 하루 낮의 반, 또는 하루 낮 전체.
저녁
해거름
• 해가 서쪽으로 넘어가는 때.
땅거미
• 해가 진 뒤 어스름한 때.
한밤
• 깊은 밤
자정
• 밤 12시

시각과 시간

시각과 시간

시각과 시간의 차이

'정오'와 '자정'은 시각을 나타내는 말이지만, 오전과 오후는 시간을 나타내는 말이야. 시각과 시간은 어떤 차이가 있을까?

시각		시간	
▲ 한 시	▲ 두 시	▲ 한 시간	▲ 두 시간

시각은 흐르는 시간의 어떤 한 지점을 뜻하는 말이야. 그래서 "지금이 몇 시야?"라고 묻는 것은 시각을 묻는 거야.

시각을 묻는 것	• 지금이 몇 시인가요? • 오늘 몇 시에 만나기로 했죠?
시간을 묻는 것	• 일을 마치려면 얼마나 걸릴까요? • 버스가 오려면 몇 시간 남았나요?

반면에 시간은 어떤 시각에서부터 어떤 시각까지의 사이를 뜻해. '숙제 하는 데 두 시간 걸린다.'의 시간은 '동안'이나, '기간'을 뜻하지.

그런데 시간에는 '시각'의 뜻도 있어.

"이제 잘 시간이야.", "약속한 시간에 꼭 보자."에 쓰인 시간은 어떤 사이나 동안을 뜻하는 게 아니라 그 시점을 뜻하는 말이야. 그래서 "이제 잘 시각이야."와 같이 바꾸어 써도 뜻이 자연스러워.

1일

기초 집중연습

1 '아침을 먹고 점심 먹기 전까지.'를 뜻하는 낱말은 무엇입니까? ( )

① 새벽
② 먼동
③ 정오
④ 한나절
⑤ 아침나절

2 시각이 빠른 순서대로 낱말의 기호를 쓰시오.

㉠ 갓밝이 ㉡ 해거름 ㉢ 정오

( ) → ( ) → ( )

3 '땅거미'의 뜻으로 알맞은 것은 무엇입니까? ( )

① 깊은 밤
② 낮 12시
③ 날이 막 밝을 무렵
④ 해가 떠서 정오까지
⑤ 해가 진 뒤 어스름한 때

4 다음은 '시각'과 '시간' 중 무엇을 묻는 말인지 선으로 이으시오.

(1) 시각을 묻는 말 •
(2) 시간을 묻는 말 •

• ① 지금이 몇 시인가요?
• ② 고치는 데 얼마나 걸리나요?
• ③ 오늘 몇 시에 만나기로 했죠?

5 오늘 배운 어휘 8개를 가로, 세로, 대각선에서 모두 찾아 동그라미 하시오.

6 다음 ○○에 들어갈 말을 글자 칸의 글자를 모아 만들어 보시오.

(1)

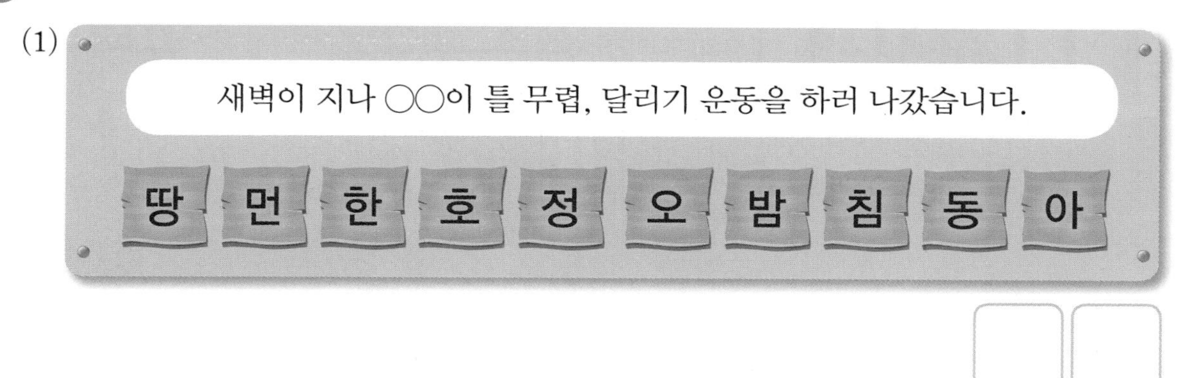

(2)

4주

인과 관계를 나타내는 말

오늘의 어휘

그래서 / 왜냐하면

- 그래서: 앞의 말이 원인이고 뒤에 나오는 말이 결과일 때 이어 주는 말. 원인 + 그래서 + 결과
  - 예 열심히 운동을 했습니다. 그래서 몸이 건강해졌습니다.
- 왜냐하면: 앞의 말이 결과이고 뒤에 나오는 말이 원인일 때 이어 주는 말. 결과 + 왜냐하면 + 원인
  - 예 몸이 건강해졌습니다. 왜냐하면 열심히 운동을 했기 때문입니다.

오늘의 어휘

하지만 / 그리고

하지만: 서로 반대인 관계의 문장을 이어 주는 말.
예 저는 여름을 좋아합니다. 하지만 형은 겨울을 좋아합니다.

그리고: 서로 비슷한 내용을 이어 주는 말.
예 저는 두부구이를 좋아합니다. 그리고 된장찌개도 좋아합니다.

원인 » 결과

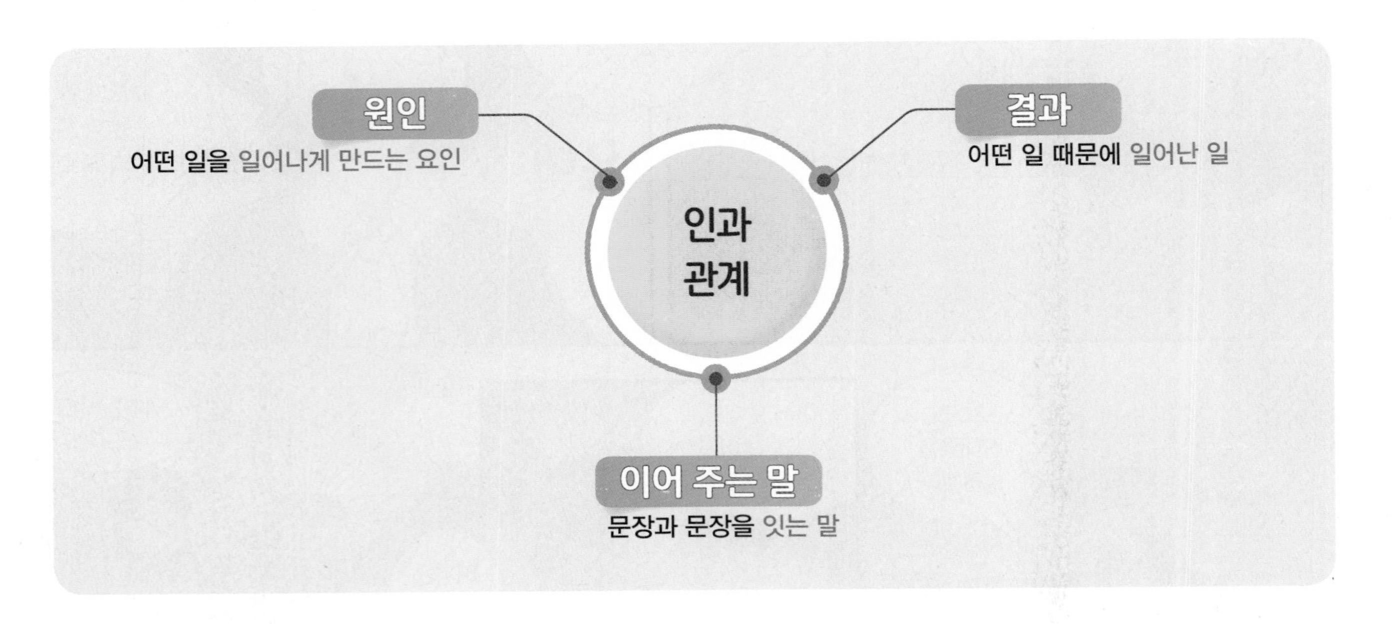

원인

'원인'은 어떤 일을 일어나게 만든 까닭이야. 달리기 운동을 열심히 해서 더 오래 달릴 수 있게 되었다면, 달리기 운동을 열심히 한 일이 바로 '원인'이 되는 것이지.

인과 관계

예 화재의 원인은 아직 밝혀지지 않았습니다.

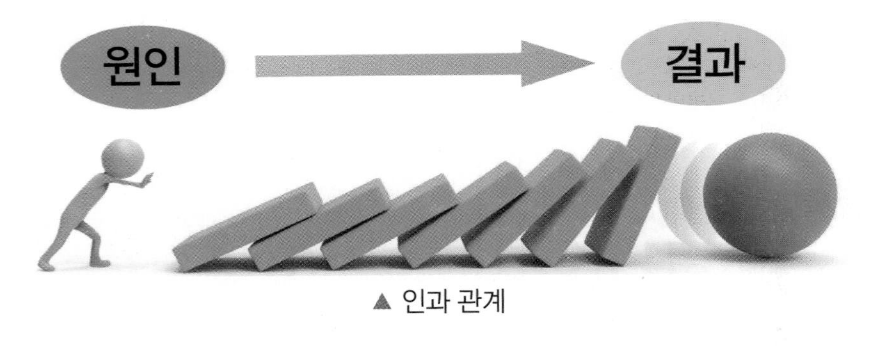

▲ 인과 관계

원인 때문에 일어난 일은?

결과

'어떤 일 때문에 일어난 일'을 '결과'라고 해. 원인이 있었기 때문에 나타날 수밖에 없는 일이 결과가 되는 거야. 이렇게 두 사건이 원인과 결과의 관계에 있는 것을 '인과 관계'라고 해.

예 공부를 열심히 한 결과, 성적이 올랐습니다.

인과 관계를 나타내는 이어 주는 말?

이어 주는 말

이어 주는 말

원인과 결과의 관계를 이어 주는 말

원인을 나타내는 문장 다음에 '그래서', '그러므로', '그리하여' 등을 넣고 결과를 나타내는 문장을 쓰면 원인과 결과의 관계를 드러낼 수 있어.

원인 + 그래서 + 결과

㉠ 늦잠을 잤습니다. 그래서 지각 했습니다.

4 주

결과를 나타내는 문장 다음에 '왜냐하면'을 넣고 원인을 나타내는 문장을 쓸 수도 있지.

결과 + 왜냐하면 + 원인 ㉠ 지각을 했습니다. 왜냐하면 늦잠을 잤기 때문입니다.

그 밖의 관계를 이어 주는 말

넌 참 건강해. 그러나 욕심이 너무 많아.

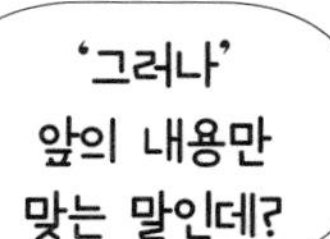

앞의 내용과 반대되는 내용이 이어질 때 '그러나', '하지만' 등을 써.

㉠ 일회용품은 편리하다. 그러나 환경을 위해서는 사용량을 줄여야 한다.

서로 비슷한 내용을 이어 줄 때 문장과 문장 사이에 '그리고'를 써.

㉠ 일요일에 도서관에 갔다. 그리고 친구를 만났다.

그리고

문장 안에서 여러 가지를 늘어놓을 때에도 '그리고'가 쓰여.

㉠ 파, 마늘, 그리고 쌈장을 준비했다.

2일

기초 집중연습

1 다음은 무엇에 대한 설명인지 '원인'과 '결과'를 구별하여 쓰시오.

(1) 어떤 일 때문에 일어난 일 ⋯→ (   )

(2) 어떤 일을 일어나게 만든 까닭 ⋯→ (   )

2 다음 빈칸에 들어갈 알맞은 낱말은 무엇입니까? ⋯⋯⋯⋯ (   )

> '원인'이 되는 사건이 있고, 그에 대한 '결과'가 되는 사건이 있을 때, 두 사건 사이에 [   ] 가 있다고 말할 수 있습니다.

① 포함 관계
② 인과 관계
③ 비슷한 관계
④ 어려운 관계
⑤ 반대되는 관계

3 다음 중 원인과 결과의 관계를 이어 주는 말이 아닌 것은 어느 것입니까? ⋯⋯ (   )

① 그래서
② 그리고
③ 그러므로
④ 그리하여
⑤ 왜냐하면

4 빈칸에 들어갈 알맞은 이어 주는 말에 ○표 하시오.

(1) 운동을 열심히 했습니다. (그래서 / 그러나) 체력이 좋아졌습니다.

(2) 나는 두부구이를 좋아합니다. (그리고 / 왜냐하면) 된장찌개도 좋아합니다.

(3) 비를 맞으면서 집에 왔습니다. (그리하여 / 왜냐하면) 우산을 잃어버렸기 때문입니다.

(4) 친구와 사소한 일로 다투고 말았습니다. (그래서 / 그리고) 기분이 좋지 않았습니다.

5 글자를 골라 설명에 알맞은 어휘를 쓰시오.

(1)

뜻 어떤 원인 때문에 나타날 수밖에 없는 일.

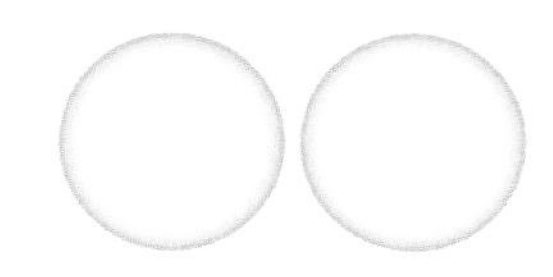

(2)

세	그	여	의	게
랑	무	래	전	술
열	예	본	서	행

쓰임 원인과 결과의 관계를 이어 주는 말.

(3)

문	글	중	러	받
문	그	중	뒷	송
침	주	목	나	단

쓰임 앞의 내용과 반대되는 내용이 이어질 때 쓸 수 있는 이어 주는 말.

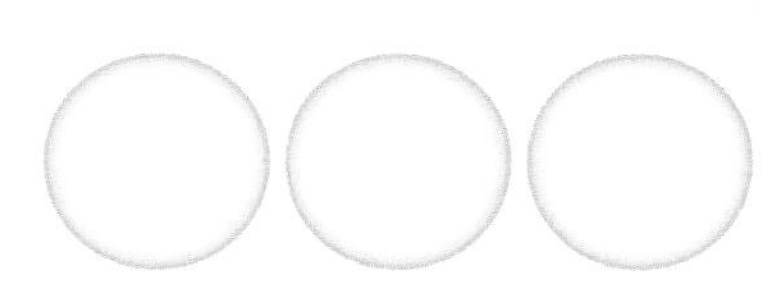

4 주

6 다음 빈칸에 들어갈 알맞은 이어 주는 말은 어느 것입니까? ( )

> 저녁에 밥을 먹을 수가 없었다. [　　　] 점심때 도시락을 두 개나 먹어서 배가 불렀기 때문이다.

① 그리고　② 그러나

③ 그래서　④ 하지만

⑤ 왜냐하면

① 해코지 / 해꼬지

Q 해코지 하지 마가 맞을까요, 해꼬지 하지 마가 맞을까요?

A 해코지 하지 마. (○)

남을 해치고자 하는 짓을 '해코지'라고 해요. '해코지'의 의미로 '해꼬지'를 사용하는 경우가 있는데, 이것은 잘못된 표현이에요.

'해코지'로 쓰는 것이 맞는 말이랍니다.

㉠ 야생 동물에게 해코지를 하면 안 됩니다.

② 깍듯이 / 깎듯이

깍듯이와 깎듯이는 어떻게 쓰일까요?

A 깍듯이 인사해요. (○) / 과일을 깎듯이 (○)

'깍듯이'는 예의범절을 갖추는 태도를 말해요. 선생님께 깍듯이 인사한다고 하지요.

'깎듯이'는 '깎다'에서 나온 말로, 연필이나 사과 껍질을 깎는 것을 말한답니다.

㉑ 연필을 깎듯이 나무젓가락을 깎아 만들기 숙제를 했습니다.

㉑ 내 동생은 웃어른을 만나면 늘 깍듯이 인사합니다.

4 주

③ 못하다 / 안 하다

Q 못하다와 안 하다는 어떻게 다를까요?

A 이해하지 못하다. (○) / 서로 알은체도 안 하다. (○)

'못하다'는 어떤 일을 할 능력이 없거나 일정 수준에 미치지 않을 때 사용하는 표현이에요. '안 하다'는 부정의 뜻을 나타내지요. '안 하다'의 '안'은 '아니'가 줄어든 말이에요.

예 노래를 못한다.

예 대꾸 한마디 안 하다.

④ 걷히다 / 거치다

Q 걷히다가 맞을까요, 거치다가 맞을까요?

안개가 걷히다. (○) / 과정을 거치다. (○)

구름이나 안개가 흩어져 없어지는 것을 '걷히다'라고 표현해요. 반면에 오가는 도중에 어디를 지나거나 들르는 것은 '거치다'라고 하지요.

㉠ 구름이 걷히다.

㉠ 여러 가지 절차를 거치다.

4주

3일 기초 집중연습

1 **다음 뜻을 나타내는 낱말에 ◯표 하시오.**

(1) 구름이나 안개가 흩어져 없어지다. (거치다 / 걷히다)

(2) 남을 해치고자 하는 짓 (해코지 / 해꼬지)

(3) 오가는 도중에 어디를 지나거나 들르다. (거치다 / 걷히다)

2 **어떤 일을 할 능력이 없을 때 사용하는 표현은 무엇입니까?** ( )

① 싫다 ② 못하다 ③ 안 하다

④ 안 된다 ⑤ 싫어하다

3 **밑줄 그은 낱말을 바르게 고쳐 쓰시오.**

(1) 선희는 부모님께 깎듯이 인사합니다.

(2) 여러 곳을 걷쳐서 가는 열차라서 그런지 너무 느린 것 같습니다.

(3) 우리들을 해꼬지하지 마세요.

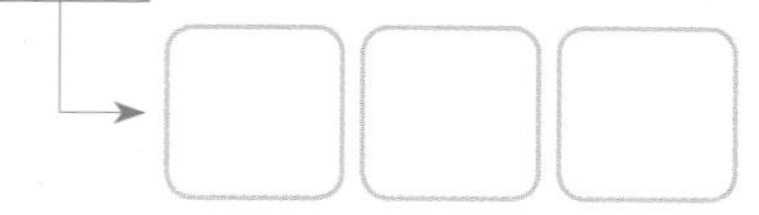

(4) 밤에 구름이 모두 것쳐서 보름달이 잘 보였습니다.

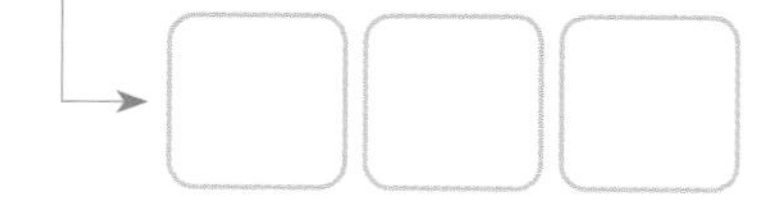

4 **'해코지'의 뜻으로 알맞은 것에 ○표 하시오.**

(1) 남을 해치고자 하는 짓. ⋯▸ (　　　　　　)
(2) 남을 도우려고 하는 행동. ⋯▸ (　　　　　　)
(3) '해보려고 하지'를 줄여 쓴 말. ⋯▸ (　　　　　　)

5 **다음 문장의 밑줄 그은 말이 알맞지 않은 것은 무엇입니까?** ⋯⋯ (　　　)

① 어둠이 걷히다.
② 여러 과정을 거치다.
③ 오랫동안 머리를 깍지 않아 길게 자랐다.
④ 나보다 작다고 남을 해코지해서는 안 된다.
⑤ 선생님께 예의 바르게 허리를 굽혀 깍듯이 인사했다.

6 **다음 문자 대화에서 틀린 낱말을 찾아 바르게 고친 것은 무엇입니까?** ⋯⋯ (　　　)

동철: 영천아, 우체국 가는 길 아니?
영천: 소방서 알지? 거기 걷쳐서 가면 금방이야.
동철: 고마워. 소방서에서 가깝구나.

① 우체국 → 우채국
② 소방서 → 소방소
③ 걷쳐서 → 거쳐서
④ 걷쳐서 → 걷혀서
⑤ 가깝구나 → 멀구나

7 **(　　　) 안의 알맞은 말에 ○표 하시오.**

(1) 사과를 (깎듯이 / 깍듯이) 감자 껍질을 벗기면 됩니다.
(2) 웃어른께 인사를 (깍듯이 / 깎듯이) 하니 칭찬을 받았습니다.
(3) 점심때가 되자 짙었던 안개가 모두 (거쳐서 / 걷혀서) 먼 곳까지 잘 보였습니다.

저출산과 관련된 말

오늘의 어휘

육아 휴직

육아: 아이를 기르는 것.

\+

휴직: 일을 쉬는 것.

→ 육아 휴직: 아이를 기르기 위해 일을 쉬는 것.

예 동생이 태어나자 엄마가 육아 휴직을 신청하셨다.

4주

오늘의 어휘

노인 복지 / 연금

- 노인 복지: 노인의 행복을 위한 여러 정책.
- 연금: 은퇴한 뒤에 받는 돈.

저출산 » 연금

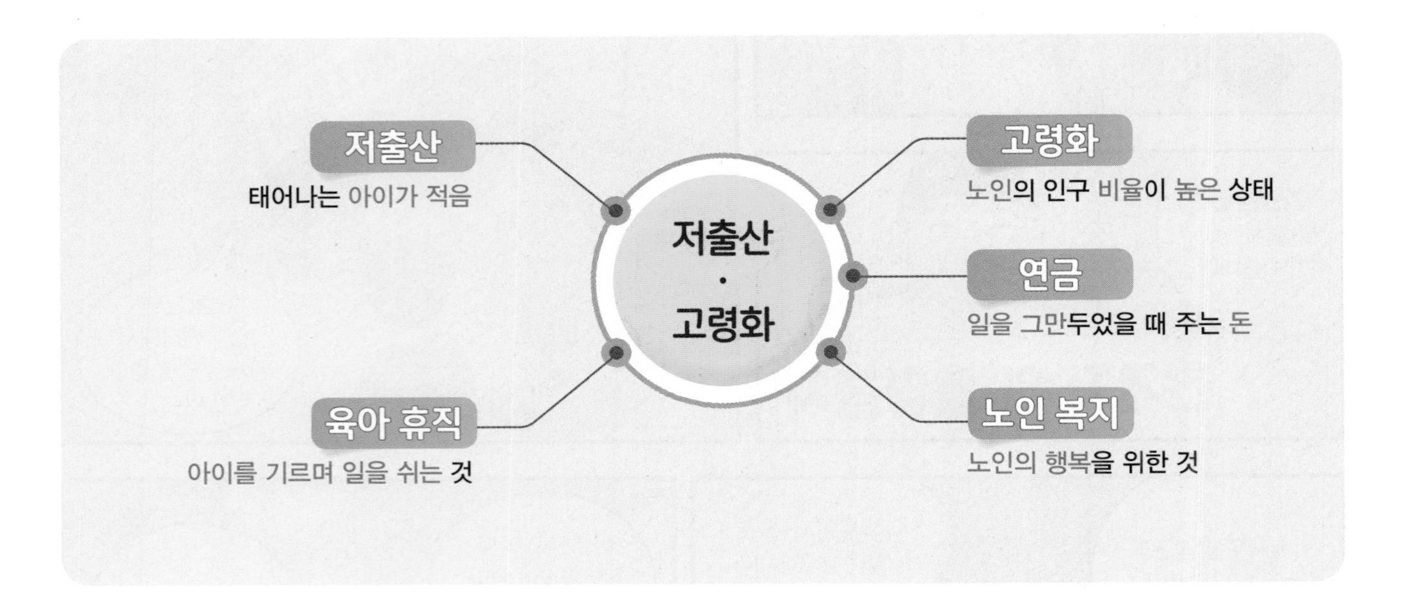

저출산이란 태어나는 아이의 수가 줄어드는 것을 말해. 저출산 현상이 나타날 때 '출산율이 낮다'고도 말할 수 있어. 이러한 저출산이 계속되면 일할 사람이 줄어들어서 경제에 영향을 미칠 수 있지.

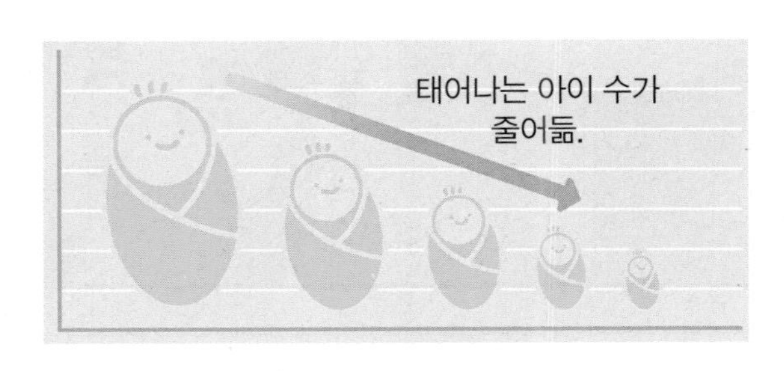

예) 저출산 문제를 해결하기 위한 방법에는 무엇이 있을까요?

🔊 저출산 현상에 대비하는 방법은?

'육아'는 아이를 기르는 것이고, '휴직'은 직장에 나가지 않고 일정 기간 쉬는 것을 말해. 그래서 '육아 휴직'은 아이를 기르기 위해 갖는 일정한 휴식이야. 저출산에 대한 대책으로 육아 휴직뿐만 아니라 아이를 키우는 데 도움이 될 수 있는 제도가 더 필요하지.

예) 저출산에 대한 대책으로 육아 휴직뿐만 아니라, 교육비 지원, 다자녀 가구에 대한 지원 등이 필요합니다.

고령화

'고령'은 높은 나이, 또는 그런 나이가 된 사람으로, '노인'을 가리켜. 거기에 '화'가 붙은 고령화는 전체 인구에서 노인이 차지하는 비율이 높아지는 현상을 말해.

예 고령화로 노인을 대상으로 하는 산업이 발달하고 있습니다.

고령화에 대한 대책은?

노인 복지

'복지'는 '행복한 삶'을 위한 것이야. 나라에서 국민의 삶을 행복하게 하기 위해 여러 가지 '복지' 정책을 펴기도 하는데, 노인들을 위한 복지를 '노인 복지'라고 해.

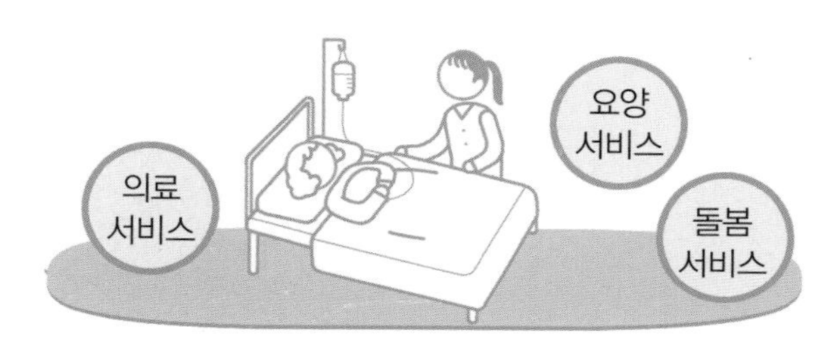

예 고령화 사회에서는 노인 복지가 중요합니다.

노인 복지 외에 고령화 사회에서 필요한 제도는?

연금

'연금'은 어떤 단체에 속한 사람이 더 이상 그 일을 하지 않게 됐을 때 그 사람에게 매년 주는 돈을 말해. 그 예로 군인 연금이나 공무원 연금이 있어. 그리고 가입한 국민 모두에게 주는 국민 연금도 있지.

예 노인 복지를 위해 다양한 연금을 마련한 필요가 있습니다.

4주

4일

기초 집중연습

1 다음은 무엇에 대한 설명입니까? ( )

- 저출산 현상에 대한 대책으로 볼 수 있음.
- 아이를 기르기 위해 직장을 일정 기간 쉬는 것.

① 명예퇴직 ② 산업 재해
③ 조기 복직 ④ 육아 휴직
⑤ 실업 급여

2 다음 그래프를 보고 떠올릴 수 있는 현상은 무엇인지 ○표 하시오.

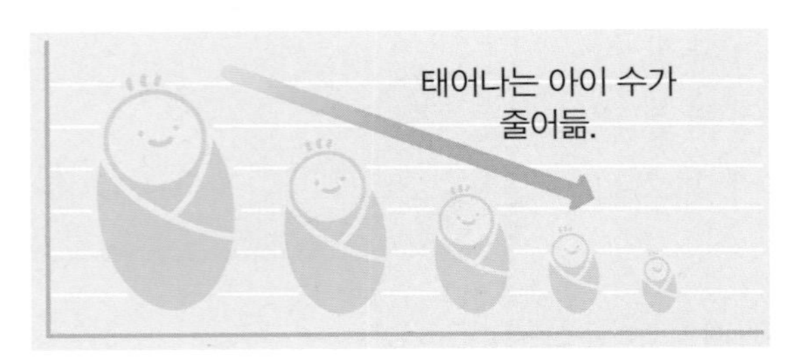

(저출산 / 베이비붐) 현상

3 전체 인구에서 노인이 차지하는 비율이 높아지는 현상을 무엇이라고 합니까? ( )

① 저령화 ② 기계화
③ 고령화 ④ 양극화
⑤ 선진화

4 노인 복지를 위한 제도가 아닌 것은 어느 것입니까? ( )

① 연금 ② 육아 휴직
③ 의료 서비스 ④ 요양 서비스
⑤ 돌봄 서비스

5 다음 빈칸에 들어갈 알맞은 말은 무엇입니까? ( )

할아버지께서는 공무원으로 40여 년이나 일을 하셨습니다. 요즘은 퇴직하셔서 공무원 [ ] 을 받고 계십니다.

① 급여 ② 연금 ③ 세금 ④ 월급 ⑤ 연봉

6 다음에서 설명하는 낱말을 말 상자에서 찾아 ◯표 하시오. 말 상자의 낱말은 가로, 세로, 대각선에 숨어 있습니다.

(1) 태어나는 아이의 수가 줄어드는 것.
(2) 노인의 인구 비율이 높은 상태.
(3) 아이를 기르기 위해 직장을 일정한 기간 동안 쉬는 것.
(4) 노인의 행복한 삶을 위한 여러 가지 정책을 통틀어 이르는 말.
(5) 어떤 단체에 속한 사람이 더 이상 그 일을 하지 않게 됐을 때 그 사람에게 매년 주는 돈.

4주

自가 들어간 말

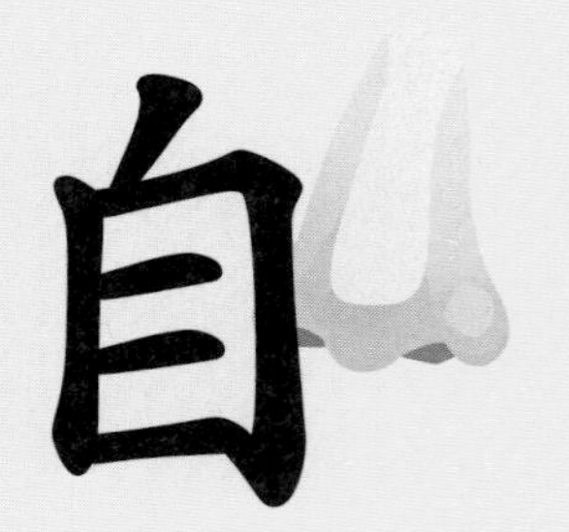

자(自) 자는 '스스로'나 '자기'라는 뜻을 가진 글자예요. 사람 얼굴의 중심이자 자신을 가리키는 '코' 모양을 본떠 만들었어요.

스스로 자

급수 | 7급　　부수 | 自　　획수 | 총 6획

QR을 보며 따라 써요!

自 스스로 자

천천히 따라 쓰세요.

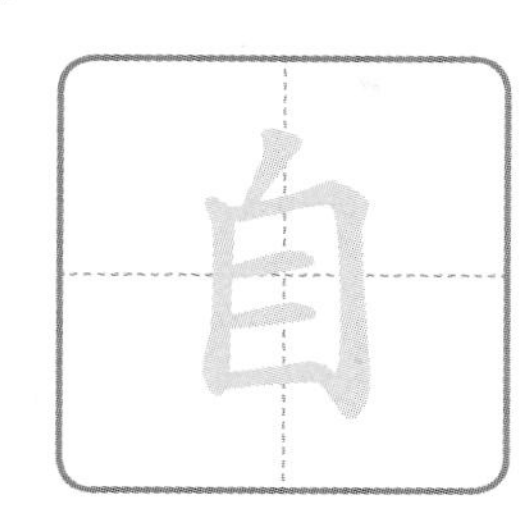
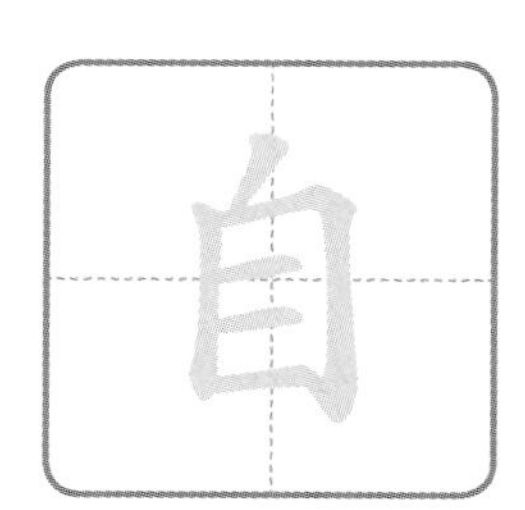
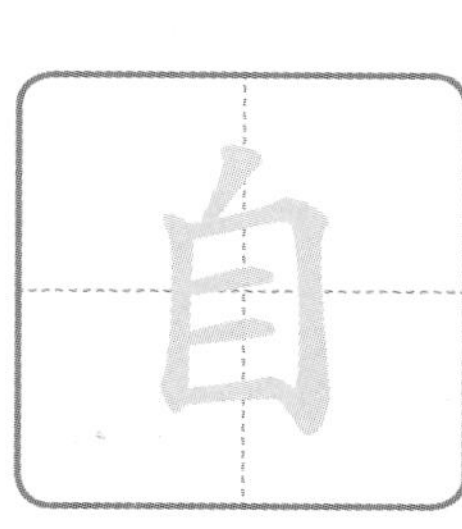
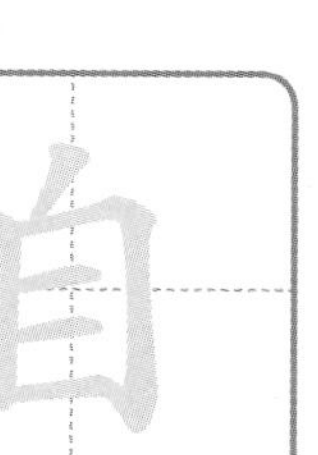

자립
남에게 의지하지 않고 스스로 섬.

◆ 경제적 자립심을 키우기 위해 가계부를 쓰기 시작했습니다.

한자를 쓰며 익혀요~!

自	立
스스로 자	설 립

자유
무엇에도 얽매이지 않고 자기 마음대로 할 수 있음.

◆ 자유로운 형식으로 글을 써 보세요.

自	由
스스로 자	말미암을 유

각자
각각의 자기 자신.

◆ 각자의 꿈을 자유롭게 떠올려 봅시다.

各	自
각각 각	스스로 자

4주

動이 들어간 말

동(動) 자는 '움직이다'나 '옮기다'라는 뜻을 가진 글자예요. 짐을 옮기기 위해 힘을 쓰니까 '움직이다'라는 뜻을 갖게 되었어요.

움직일 동

급수 | 7급 부수 | 力 획수 | 총 11획

움직일 동

천천히 따라 쓰세요.

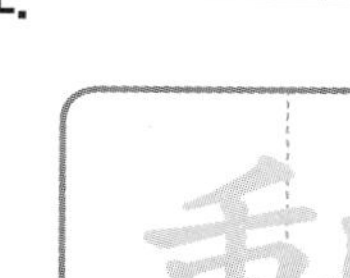

감 동 크게 느끼어 마음이 움직임.

- 영화를 보고 **감동** 받았다.

동 물 움직이는 생물.

- 가족들과 함께 **동물**원에 구경을 갔다.

운 동 건강을 위해 몸을 움직이는 일.

- 아침마다 **운동**을 하자.

4주

1 다음 뜻을 가진 낱말은 어느 것입니까? ( )

무엇에 얽매이지 않고 자기 마음대로 할 수 있는 상태.

① 자립 ② 자연 ③ 자신 ④ 자유 ⑤ 각기

2 다음 밑줄 그은 '자'중 '스스로'의 뜻이 아닌 것은 어느 것입니까? ( )

① 자유 ② 자립 ③ 자신 ④ 자동 ⑤ 자식

3 '각자'의 뜻으로 알맞은 것은 무엇입니까? ( )

① 남에게 의지함.
② 각각의 자기 자신.
③ 자신감 있는 상태.
④ 자신만 생각하는 모습.
⑤ 남에게 의지하지 않고 스스로 섬.

4 다음 뜻을 가진 '자립'을 한자로 쓰시오.

자립
•뜻 : 남에게 의지하지 않고 스스로 섬.

5 밑줄 그은 한자어의 음을 쓰시오.

(1) 형은 運動 가운데서 축구를 가장 좋아한다. ⋯→ (　　　　　　)

(2) 各自의 일은 스스로 책임져야 한다. ⋯→ (　　　　　　)

6 다음 낱말에 공통으로 들어가는 '동'자의 뜻은 어느 것입니까? ⋯⋯⋯⋯ (　　　)

동 물　　　　운 동

① 똑같다　② 힘들다　③ 움직이다　④ 자유롭다　⑤ 의지하다

4 주

7 빈칸에 들어갈 알맞은 낱말에 ○표 하시오.

채연: 새로 개봉한 영화 봤니?
민수: 응, 마지막 장면이 ○○적이었어.

(감동 / 감전)

8 다음 한자어를 보기에서 찾아 기호를 쓰시오.

보기
㉠ 動物　㉡ 各自　㉢ 感動　㉣ 自由

(1) 자유 ⋯→ (　　　　　　)

(2) 동물 ⋯→ (　　　　　　)

누구나 100점 TEST

1 다음 그림에 어울리는 낱말을 보기에서 골라 쓰시오.

보기
아침 자정 해거름

(1) ( ) (2) ( )

2 뜻이 반대인 낱말끼리 선으로 이으시오.

(1) 오전 •
(2) 정오 •

• ㉠ 자정
• ㉡ 아침
• ㉢ 오후

3 다음은 무엇에 대한 설명입니까? ( )

어떤 단체에 속한 사람이 더이상 그 일을 하지 않게 됐을 때 그 사람에게 매년 주는 돈.

① 연금 ② 월급
③ 퇴직금 ④ 육아 휴직
⑤ 노인 복지

4 알맞은 낱말에 ○표 하세요.

(1) 어제 결석했습니다. (왜냐하면 / 그래서) 많이 아팠기 때문입니다.
(2) 선생님께 칭찬을 받았습니다. (왜냐하면 / 그래서) 기분이 좋습니다.

5 앞의 내용과 반대되는 내용이 이어질 때 쓰는 말을 두 가지 고르세요. (,)

① 그리고 ② 하지만
③ 그래서 ④ 그러나
⑤ 그리하여

◐ 정답과 풀이 15쪽 점수 점

6 보기의 제도는 어떤 현상을 위한 대책입니까? ( )

보기
요양 서비스 돌봄 서비스

① 저출산 ② 고령화
③ 도시화 ④ 물가 하락
⑤ 물가 상승

7 다음 빈칸에 들어갈 알맞은 말에 ○표 하세요.

(못하네 / 안 하네)?

8 '感動'의 알맞은 뜻은 무엇입니까? ( )

① 기분이 좋음.
② 감정을 표현함.
③ 몸을 움직이는 일.
④ 다른 사람과 똑같이 함.
⑤ 크게 느끼어 마음이 움직임.

9 다음 뜻에 알맞은 말을 보기에서 찾아 쓰시오.

보기
깍듯이 깎듯이

(1) 예의범절을 갖추는 태도로. ( )
(2) 물건의 거죽이나 표면을 얇게 벗겨 내듯이. ( )

10 다음 낱말의 밑줄 그은 글자는 어떤 한자인지 선으로 이으시오.

(1) 자립 •
(2) 각자 •
(3) 운동 •

• ㉠ 自
• ㉡ 動

4주

창의·융합·코딩 ❶

속담 플러스

아니 땐 굴뚝에 연기날까

불을 피우면 당연히 연기가 나올 거예요. 그럼 어떤 굴뚝에서 연기가 나는 게 보인다면, 어떤 원인이 있었을지 당연히 짐작할 수 있겠지요? 이처럼 아니 땐 굴뚝에 연기 날까는 원인이 있으면 반드시 그에 따른 결과가 있음을 나타내는 속담이랍니다.

사고 쑥쑥

1

길을 따라 가면서 나타나는 설명이 알맞은지 생각하며 규칙 대로 계산을 해 보세요. 도착 칸에 계산 결과가 얼마인지 숫자를 쓰세요.

규칙

알맞은 설명이면 3을 더하고, 틀린 설명이면 1을 뺀다.

2

칠판에 글씨가 지워졌어요. 원인과 결과를 생각하며 지워진 부분에 들어갈 수 있는 가장 알맞은 낱말을 골라 ◯표 하세요.

(1)

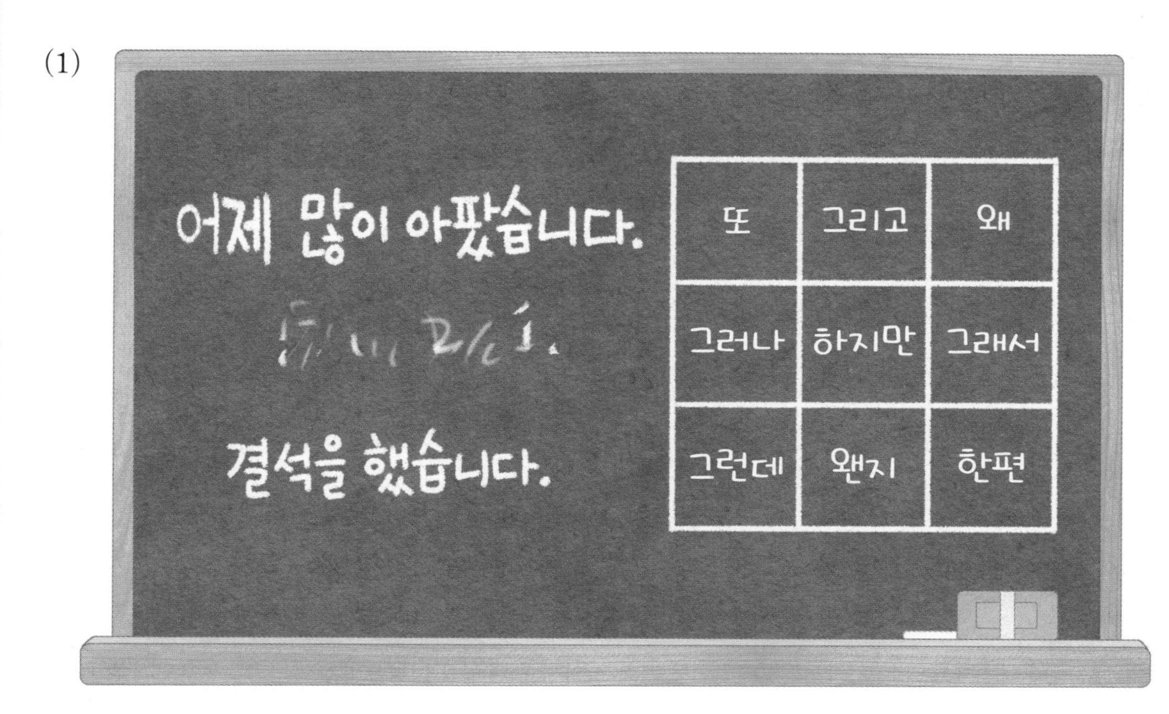

(2)

동진이와 2시에
만나기로 약속했다.

그는 나타나지 않았다.

그래서	그러므로	그려면
왜냐하면	또	그러나
그리고	그리하여	단

4주

1~4주 동안 공부한
130여 개의 주요 어휘를
ㄱㄴㄷ 순서로 정리했어요!

	어휘	뜻	쪽
ㄱ	각자	각각의 자기 자신.	161쪽
	감동	크게 느끼어 마음이 움직임.	163쪽
	갓밝이	날이 밝을 무렵. 예 불면증 때문에 갓밝이까지 잠을 못 잤다.	138쪽
	강우량	일정한 기간과 장소에 내린 비의 양.	123쪽
	강풍	세게 부는 바람. 예 강풍이 불자 나무가 뿌리째 뽑혔다.	121쪽
	거치다	오가는 도중에 어디를 지나거나 들르다.	151쪽
	걷히다	구름이나 안개가 흩어져 없어지다.	151쪽
	결과	어떤 일 때문에 일어난 일.	144쪽
	고령화	전체 인구에서 노인이 차지하는 비율이 높아지는 현상.	157쪽
	고모	아버지의 여자 형제. 주의 고모의 남편은 '고모부'.	57쪽
	고뿔	감기. 예 에취, 고뿔이 들었네.	99쪽
	관자놀이	귀와 눈 사이 부분. 예 관자놀이를 손가락으로 눌렀다.	14쪽
	국가	일정한 영토와 그 영토에 살고 있는 사람들로 구성되고, 주권에 의해 다스려지는 사회 집단.	79쪽
	귓바퀴	귀의 가장자리 부분. 예 추워서 귓바퀴가 빨개졌다.	14쪽
	귓불	귓바퀴 아래쪽에 붙어 있는 살. 귓밥. 주의 '귓방울', '귓볼'은 잘못.	14쪽
	그래서	앞 문장이 원인, 뒤의 문장이 결과일 때 이어 주는 말.	145쪽
	그러나	앞의 내용과 반대되는 내용이 나올 때 이어 주는 말.	145쪽
	그러므로	앞 문장이 원인, 뒤의 문장이 결과일 때 이어 주는 말.	145쪽
	그리고	서로 비슷한 내용을 이어 주는 말.	145쪽
	그리하여	앞 문장이 원인, 뒤의 문장이 결과일 때 이어 주는 말.	145쪽
	근거	어떤 일이나 의견에 근본이 되는 까닭. 예 주장을 내세울 때에는 근거도 말해야 해.	63쪽
	금세	지금 바로. 예 에어컨을 켜니 금세 방 안이 시원해졌다.	66쪽
	깎다	과일의 껍질을 벗겨 내다.	149쪽
	깍듯이	예의범절을 갖추는 태도로.	149쪽
	꽃샘	이른 봄, 꽃이 필 무렵의 추위. 꽃샘추위.	98쪽
	끓음	액체에 열을 가했을 때, 액체가 겉과 속에서 기체 상태로 변하는 것.	117쪽
ㄴ	낭송	시를 소리 내어 읽는 것. 예 내가 지은 시를 낭송해 볼까?	21쪽
	노인 복지	노인의 행복한 삶을 위한 정책.	157쪽

농민	농사짓는 사람. 예 장마가 계속되어 농민들이 피해가 커졌다.	81쪽
눈꺼풀	눈을 덮는 살갗. 비슷한말 눈까풀.	14쪽
눈망울	눈알 앞쪽의 도톰한 곳. 또는 눈동자가 있는 곳. 예 눈망울에 눈물이 고이다.	14쪽
눈시울	속눈썹이 난 주위. 주의 '눈시위'는 잘못.	14쪽

ㄷ

대축척 지도	축척을 크게 한 지도. 소축척 지도보다 나타내는 범위는 좁지만 그 지역을 자세히 살펴볼 수 있음.	75쪽
도서	글이나 그림으로 표현하여 적은 것. 예 좋은 도서를 골라 읽어야 한다.	39쪽
도장	이름을 나무나 돌 따위에 새겨 찍도록 만든 물건. 주의 나라를 대표하는 도장은 '옥새'.	39쪽
도형	수학에서 점이나 선, 면 따위로 이루어진 모양. 예 삼각형, 사각형 따위가 도형이다.	39쪽
동물	움직이는 생물. 예 멸종 위기 동물을 보호합시다.	163쪽
땅거미	해가 진 뒤 어스름한 때. 예 나도 모르는 사이에 땅거미가 짙게 깔렸다.	138쪽

리듬감	시에서 소리의 높낮이, 길이 등이 반복될 때 그 흐름에서 움직이는 느낌이 드는 것.	21쪽

ㅁ

먼동	날이 밝아 올 무렵의 동쪽. 예 먼동이 트기 시작했다.	138쪽
며칠	그달의 몇째 되는 날. 몇 날. 주의 '몇일'은 잘못.	25쪽
멱	'미역'의 준말. 물에 몸을 담그고 씻거나 노는 일.	98쪽
못하다	어떤 일을 할 능력이 없거나 일정 수준에 미치지 않다.	150쪽
무더위	습도가 높아 찌는 듯 견디기 힘든 더위.	98쪽
무서리	늦가을에 처음 내리는 묽은 서리.	99쪽
물오르다	봄철에 나무에 물기가 스며 오르다.	98쪽
민요	백성들이 부르는 노래. 예 대표적인 민요는 아리랑이다.	81쪽

ㅂ

보조개	뺨에서 오목하게 들어간 부분. 주의 '볼우물'도 표준어임.	14쪽
볼	뺨의 한복판. 예 볼이 발갛게 달아올랐다.	14쪽
봄꿈	따뜻한 봄날에 나른해져 깜빡 잠든 사이에 꾸는 꿈.	98쪽
봄놀이	봄철에 나들이하며 즐기는 놀이.	98쪽
불볕더위	햇빛이 몹시 뜨겁게 내리쬘 때의 더위.	98쪽
뺨	관자놀이에서 턱 위까지의 살이 많은 부분. 예 흥부가 주걱으로 뺨을 맞았다.	14쪽

ㅅ

사촌	부모님의 형제자매가 낳은 아들이나 딸.	57쪽
삭이다	화를 풀어서 마음을 가라앉히다. 예 안 좋은 기분을 삭이다.	69쪽
삭히다	김치나 젓갈을 발효시켜서 만들다. 예 김치를 삭히다.	69쪽
삼가다	말이나 행동을 조심스럽게 하는 모습. 예 소음 공해를 삼가 주세요.	109쪽
삼촌	부모님의 남자 형제.	57쪽
삼한 사온	사흘 동안 춥고 나흘 동안 따뜻한 겨울 날씨.	99쪽
상태 변화	물질의 상태가 변하는 것.	116쪽

새다	날이 밝아 오다. 주의 목적어 없이 '날이 새다'와 같이 쓰임.	27쪽
새벽	해가 뜰 무렵. 주로 12시를 지나 해가 뜨기 전까지의 동안.	138쪽
새우다	한숨도 자지 않고 밤을 지내다. 주의 '밤'을 목적어로 하여 쓰임.	27쪽
세다	낱낱의 수를 헤아리거나 꼽다. 예 사과의 개수를 세다.	27쪽
소축척 지도	축척을 작게 한 지도. 넓은 면적을 많이 줄여서 나타낸 것으로 다른 지역과의 위치 관계를 잘 보여 줌.	75쪽
속눈썹	눈 둘레에 난 털. 예 속눈썹이 눈에 들어갔다.	14쪽
순풍	배가 가는 쪽으로 부는 바람. 예 배가 순풍을 타고 거침없이 나가다.	121쪽
숫눈	눈이 와서 쌓인 상태 그대로의 눈.	99쪽
시각	흐르는 시간의 어떤 한 지점. 예 현재 시각은 오전 10시이다.	139쪽
시간	어떤 시각에서부터 어떤 시각까지의 사이. 예 그 영화는 2시간 길이였다.	139쪽
시민	도시에 사는 사람. 예 시민들을 위한 공원이 있다.	81쪽
쌍꺼풀	겹으로 된 눈꺼풀. 주의 '쌍까풀'도 표준어임.	14쪽

아침	날이 새면서 오전 반나절쯤까지의 동안.	138쪽
아침나절	아침을 먹고 점심 먹기 전까지.	138쪽
안	'아니'가 줄어든 말로 부정의 뜻을 나타냄. 예 기분이 안 좋아.	150쪽
안 하다	하지 않다. 예 숙제를 안 해서 혼났다.	150쪽
않다	'아니하다'가 줄어든 말로, '~지 않다.'의 형태로 쓰이며 부정의 뜻을 나타냄.	110쪽
알갱이	열매나 곡식 따위의 낱알. 예 옥수수 알갱이.	68쪽
알맹이	물건의 껍데기나 껍질을 벗기고 남은 속 부분. / 어떤 것의 핵심이 되는 중요한 부분. 예 사탕 알맹이 / 내 말의 알맹이는 청소를 잘하자는 거야.	68쪽
암송	시를 외워서 읽는 것. 예 시 암송을 하려고 여러 번 읽었다.	21쪽
애가지	봄철에 새로 돋는 어리고 연한 나뭇가지.	98쪽
약도	간략하게 줄여서 중요한 것만 나타낸 지도.	74쪽
연	시에서 이어지는 내용을 가진 몇 개의 행을 하나의 단위로 묶은 것.	20쪽
연금	어떤 단체에 속한 사람이 더 이상 그 일을 하지 않게 됐을 때 그 사람에게 매년 주는 돈.	157쪽
오전	해가 떠서 정오까지.	138쪽
오지	도시에서 멀리 떨어진 땅. 예 오지에 봉사 활동을 가는 사람들이 많다.	37쪽
오후	정오부터 해가 지기까지.	138쪽
왜냐하면	결과를 나타내는 문장 다음에 원인을 나타내는 문장이 나올 때 이어 주는 말.	145쪽
외국	자기 나라가 아닌 다른 나라. 예 가족과 외국으로 여행을 다녀왔다.	79쪽
우산	비를 가리는 물건. 예 오늘은 비가 오니 우산을 챙기자.	123쪽
우천	비가 오는 날씨. 예 우천으로 인해 야구 경기가 취소되었다.	123쪽
운동	건강을 위하여 몸을 움직이는 일. 예 규칙적인 운동을 하면 건강에 좋다.	163쪽
운율	시에서 노래하는 듯한 느낌이 나는 가락. 예 시에서 반복되는 말이 있으면 운율이 느껴진다.	21쪽
원인	어떤 일을 일어나게 만든 까닭.	144쪽

육아 휴직	아이를 기르기 위해 일을 쉬는 것.	156쪽
으스스하다	몸에 소름이 돋는 느낌을 표현하는 말. 예 골목이 분위기가 으스스하다.	108쪽
응결	기체 상태의 물질을 차갑게 하였을 때, 액체 상태의 물질로 변하는 것.	117쪽
의견	어떤 문제나 인물, 또는 일에 대하여 가지는 생각.	62쪽
이마	눈썹 위부터 머리털 아래까지. 예 열이 나는지 이마를 짚어 보았다.	14쪽
이모	어머니의 여자 형제. 주의 이모의 남편은 '이모부'.	57쪽
인중	코와 윗입술 사이의 오목한 곳. 예 인중이 길면 오래 산다는 말이 있다.	14쪽

ㅈ

자립	남에게 의지하지 않고 스스로 섬.	161쪽
자유	무엇에도 얽매이지 않고 자기 마음대로 할 수 있는 상태.	161쪽
자정	밤 12시. 예 자정이 다 되어 집에 돌아왔다.	138쪽
장마	여름철 여러 날 계속해서 비가 내리는 날씨. 예 내일부터 장마가 시작된다.	98쪽
저녁	해가 질 무렵부터 밤이 되기까지의 사이.	138쪽
점심	하루 중에 해가 가장 높이 떠 있는, 낮 12시부터 반나절쯤까지의 동안.	138쪽
정오	낮 12시. 예 모레 정오까지 택배가 왔으면 좋겠다.	138쪽
조카	형제자매의 자식. 예 삼촌은 조카 중에 내가 제일 예쁘다고 하셨다.	57쪽
좇다	목표, 꿈, 행복 따위를 추구하다. 예 꿈을 좇아서 노력하자.	26쪽
주장	어떤 문제에 대한 나의 주된 의견. 예 정민이는 자기 주장을 굽히지 않는다.	62쪽
중심 낱말	문단이나 글에서 다루고자 하는 가장 중요한 낱말.	104쪽
중심 내용	문단이나 글에서 전하고자 하는 가장 중요한 내용.	105쪽
중심 문장	문단에서 가장 중요한 문장.	105쪽
증발	액체의 겉에서 기체 상태로 변하는 것. 예 바닷물이 증발하다.	117쪽
지그시	슬며시 힘을 주는 모양. 예 대문을 지그시 밀다.	111쪽
지긋이	나이가 꽤 들었음을 뜻하는 말.	111쪽
지도	위에서 내려다본 땅의 실제 모습을 줄여서 나타낸 그림.	74쪽
지역	기준에 따라 범위를 나눈 땅. 예 이 지역은 관광이 발달해 있다.	37쪽
지진	땅이 흔들리는 현상. 예 지진 대피 훈련을 하였다.	37쪽
지층	자갈, 모래, 진흙 등이 퇴적되어 쌓인 뒤에 오랜 시간에 걸쳐 단단하게 굳어져 층을 이루고 있는 것.	33쪽
지표	땅의 표면. 예 한여름에 지표의 온도가 올라간다.	32쪽
쫓다	서둘러 뒤를 따라가다. 예 경찰이 범인을 쫓다.	26쪽

ㅊ

찬바람머리	가을철에 싸늘한 바람이 불 무렵.	99쪽
천고마비	하늘이 높고 말이 살찐다는 뜻으로 가을철을 이르는 말.	99쪽
청명하다	날씨가 맑고 밝다. 예 오늘은 하늘이 청명하다.	99쪽
축척	지도에서 실제 거리를 줄인 정도.	75쪽
침식	지표의 바위나 돌, 흙 등이 깎여 나가는 것. 예 강의 상류에서 침식 작용이 활발하다.	32쪽

ㅋ

코끝	콧등의 끝. 예 추워서 코끝이 시리다.	14쪽
코허리	콧등의 잘록한 부분. 주의 '눈허리'는 잘못.	14쪽
콧대	콧등의 우뚝한 줄기. 우쭐하고 거만한 태도를 비유적으로 이르기도 함.	14쪽
콧등	코의 등성이. 예 콧등에 땀이 맺히다.	14쪽
콧방울	코끝 양쪽으로 둥글게 방울처럼 내민 부분. 주의 '콧날개'는 잘못.	14쪽
쾌청하다	구름 한 점 없이 날씨가 맑다. 예 비가 그치자 날씨가 쾌청하다.	99쪽

ㅌ

퇴적	물에 의해 운반된 돌이나 흙이 쌓이는 것. 예 강의 하류에서 퇴적 작용이 활발하다.	33쪽

ㅍ

푹하다	겨울 날씨가 춥지 않고 따뜻하다.	99쪽
풍속	바람의 속도. 예 선풍기의 풍속을 조절하다.	121쪽
프라이	음식을 기름에 지지거나 튀기는 일. 또는 그렇게 만든 음식. 예 달걀 프라이.	67쪽

ㅎ

하지만	앞의 내용과 반대되는 내용을 이어 주는 말.	145쪽
하마터면	조금만 잘못하였더라면. 주의 '하마트면'은 잘못.	24쪽
한국	'대한민국'을 줄여 쓴 말. 예 축구 경기에서 한국을 응원했다.	79쪽
한밤	깊은 밤. 예 한밤에 라면을 먹겠다고?	138쪽
한파	겨울철에 갑자기 추워지는 현상. 예 심한 한파로 기온이 낮아졌다.	99쪽
해거름	해가 서쪽으로 넘어가는 때.	138쪽
해코지	남을 해치려고 하는 짓. 주의 '해꼬지'는 잘못.	148쪽
행	시에 쓰인 한 줄, 한 줄. 예 한 행이 한 연이 되는 시도 있다.	20쪽
혹한기	몹시 심한 추위가 있는 시기. 예 혹한기 훈련을 실시하다.	99쪽
화석	지층을 이루는 암석 속에 아주 오랜 옛날에 살았던 생물의 몸체나 생물이 살았던 흔적이 남아 있는 것.	33쪽
후텁지근하다	조금 불쾌할 정도로 끈끈하고 무더운 기운이 있다.	98쪽

기초
학습능력 강화
프로그램

똑 똑 한

하루 어휘

정답과 풀이

4 단계 A
3~4학년

천재교육

정답과 해설
포인트 3가지

▶ 혼자서도 이해할 수 있는 친절한 어휘 풀이

▶ 배운 어휘는 물론 참고 어휘, 보충 어휘까지 자세한 해설

▶ 비슷한말, 반대말, 포함 어휘까지 관계 어휘를 풍부하게 제시

1주 정답과 풀이

1주에는 무엇을 공부할까? 10~11쪽

1 뺨
2 화석
3 지진
4 며칠

1일 주제 어휘 16~17쪽

1 ② 2 (1) ③ (2) ① (3) ②
3 (1) 눈, 입 (2) 눈, 코
4

❶ 관자놀이 ❷ 눈시울 ❸ 귓불
❹ 보조개 ❺ 인중 ❻ 코허리

1 '콧방울'은 코끝 양쪽으로 둥글게 방울처럼 내민 부분입니다.

2 '인중'은 코와 윗입술 사이의 오목한 곳, '눈망울'은 눈알 앞쪽의 도톰한 곳이나 눈동자가 있는 곳, '눈시울'은 속눈썹이 난 눈 주위를 뜻합니다.

3 '눈은 풍년이나 입은 흉년이다'는 눈에 보이는 것은 많아도 정작 먹을 것은 없다는 뜻의 속담입니다.

2일 교과 어휘 국어 22~23쪽

1 ② 2 (1) ② (2) ① 3 ⑤
4 ④
5 (1) 낭송 (2) 암송

맘	강	㉯낭	국	너
㉯송	자	창	살	직

알	㉯송	달	잠	문
숭	약	건	㉯암	홍

(3) 운율 (4) 리듬감

룰	온	검	빙	물
㉯율	방	딴	동	㉯운

기	용	난	㉯감	생
궁	㉯리	금	시	㉯듬

1 시를 소리 내어 읽는 것을 '낭송'이라고 하고, 시를 외워서 읽는 것을 '암송'이라고 합니다.

2 시에 쓰인 한 줄이 '행'이고, 이어지는 내용을 가진 몇 개의 행을 하나의 단위로 묶은 것을 '연'이라고 합니다.

3 노래를 부를 때와 같이 움직이는 느낌을 '리듬감'이라고 합니다.

4 같거나 비슷한 글자가 규칙적으로 반복되면 운율이 느껴집니다.

3일 알쏭 어휘

28~29쪽

1 (1) 쫓는다 (2) 하마터면 2 (1) ○ (3) ○
3 (2) ○ 4 ② 5 (2) ○
6

	좇
세	다

7 (1) 며칠 (2) 하마터면

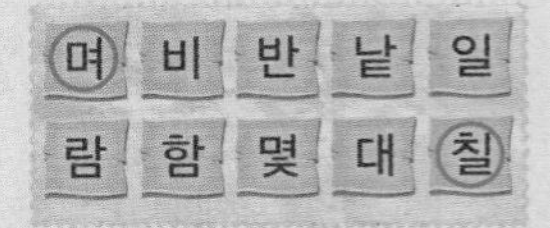

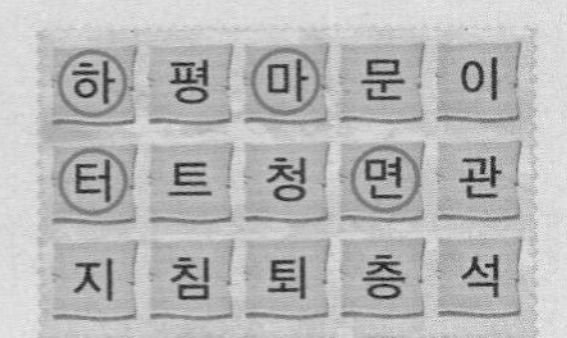

1 (1) '서둘러 뒤를 따라가다.'라는 뜻에는 '쫓다'를 씁니다.
(2) 위험한 상황을 겨우 벗어났을 때에 쓰는 말은 '하마터면'입니다.

2 (2)는 '며칠만 더 있으면 겨울 방학이야.'라고 합니다.

3 '목표, 꿈, 행복 따위를 추구하다.'라는 뜻에는 '좇다'를 씁니다.

4 ②는 '나는 어제 책을 읽느라고 밤을 새웠다.'라고 씁니다.

6 '낱낱의 수를 헤아리거나 꼽다.'는 '세다'입니다.

7 '그달의 몇째 되는 날'은 '며칠', '조금만 잘못하였더라면'은 '하마터면'입니다.

4일 교과 어휘 과학

34~35쪽

1 ㉡ 2 ❶ 침식 ❷ 퇴적
3 ②
4

➡가로
❶ 퇴원 ❷ 침식 작용 ❸ 지표 ❹ 화석
❻ 양치질
⬇세로
❶ 퇴적 작용 ❸ 지층 ❺ 석양

1 땅의 표면을 '지표'라고 합니다. 지표는 주로 흙이나 바위, 돌 등으로 이루어져 있습니다.

2 흐르는 물 등에 의해 바위나 돌, 흙 등이 조금씩 깎여 나가는 것을 '침식'이라고 합니다. 흐르는 물 등에 운반된 돌과 흙 등이 쌓이는 것을 '퇴적'이라고 합니다.

3 지층을 이루는 암석 속에는 아주 오랜 옛날에 살았던 생물의 화석이 남아 있기도 합니다. 공룡 뼈 화석, 공룡 발자국 화석 등 다양한 것이 발견되고 있습니다.

5일 한자 어휘

40~41쪽

1 ①	2 지역	3 ①
4 ⑤	5 도장	6 地
7 (1) 오지		(2) 도형

지	비	반	낱	바
람	함	오	대	칠

하	평	마	문	이
터	형	도	면	관

1 '지도'를 한자로 나타내면 '地圖'입니다. '地'는 땅의 뜻을 가집니다.

2 '地域'은 '지역'이라고 읽습니다.

3 '圖形'은 '도형'이라고 읽습니다.

4 '도서(圖書)'는 '책'과 뜻이 비슷한 낱말입니다. ⑤은 '우리나라 인구수의 변화를 도표로 나타내면 한눈에 알아보기 쉽다.'와 같이 표현해야 알맞습니다.

5 이름을 나무나 돌 따위에 새겨 찍도록 만든 물건은 '도장'입니다. 임금의 도장을 '옥새'라고 하는데 '옥쇄'라고 쓰지 않도록 주의합니다.

6 땅이 흔들리는 현상은 '지진(地震)'입니다.

7 (1) '해안이나 도시에서 멀리 떨어진 대륙 내부의 땅'을 뜻하는 낱말은 '오지'입니다.

(2) '그림이나 모양의 형태. 또는 수학에서 점이나 선, 면 따위로 이루어진 모양'을 뜻하는 낱말은 '도형'입니다.

1주 누구나 100점 TEST

42~43쪽

1 (2) ○	2 ③	3 (1) 행 (2) 연
4 (1) ② (2) ① (3) ③		5 (1) 하마터면
(2) 며칠	6 ①	7 ②
8 화석	9 ⑤	10 地

1 '인중'은 코와 윗입술 사이의 오목한 곳을 가리키는 말입니다.

2 '입이 광주리만 해도 말 못 한다'라는 속담입니다.

5 (1) 위험한 상황을 겨우 벗어났을 때에 쓰는 말은 '하마터면'입니다.

(2) '그달의 몇째 되는 날.'을 뜻하는 낱말은 '며칠'입니다.

6 ② 행복을 좇아 열심히 노력하다.

③ 사냥꾼이 사슴을 쫓아서 왔다.

④ 잠 한숨 자지 못했는데 날이 새는구나.

⑤ 형이 공부한다고 밤을 새우는 계획을 세웠다.

7 지표의 바위나 돌, 흙 등이 깎여 나가는 것을 '침식'이라고 합니다.

8 지층을 이루는 암석 속에 아주 오랜 옛날에 살았던 생물의 몸체나 생물의 흔적이 남아 있는 것을 '화석'이라고 합니다.

9 ④의 '指導'는 '지도'라고 읽지만 '어떤 목적이나 방향으로 남을 가르쳐 이끎.'이라는 뜻입니다.

10 공통으로 들어갈 한자는 '地(땅 지)'입니다.

1주 특강 사고 쑥쑥 46~47쪽

1주 특강 논리 탄탄 48~49쪽

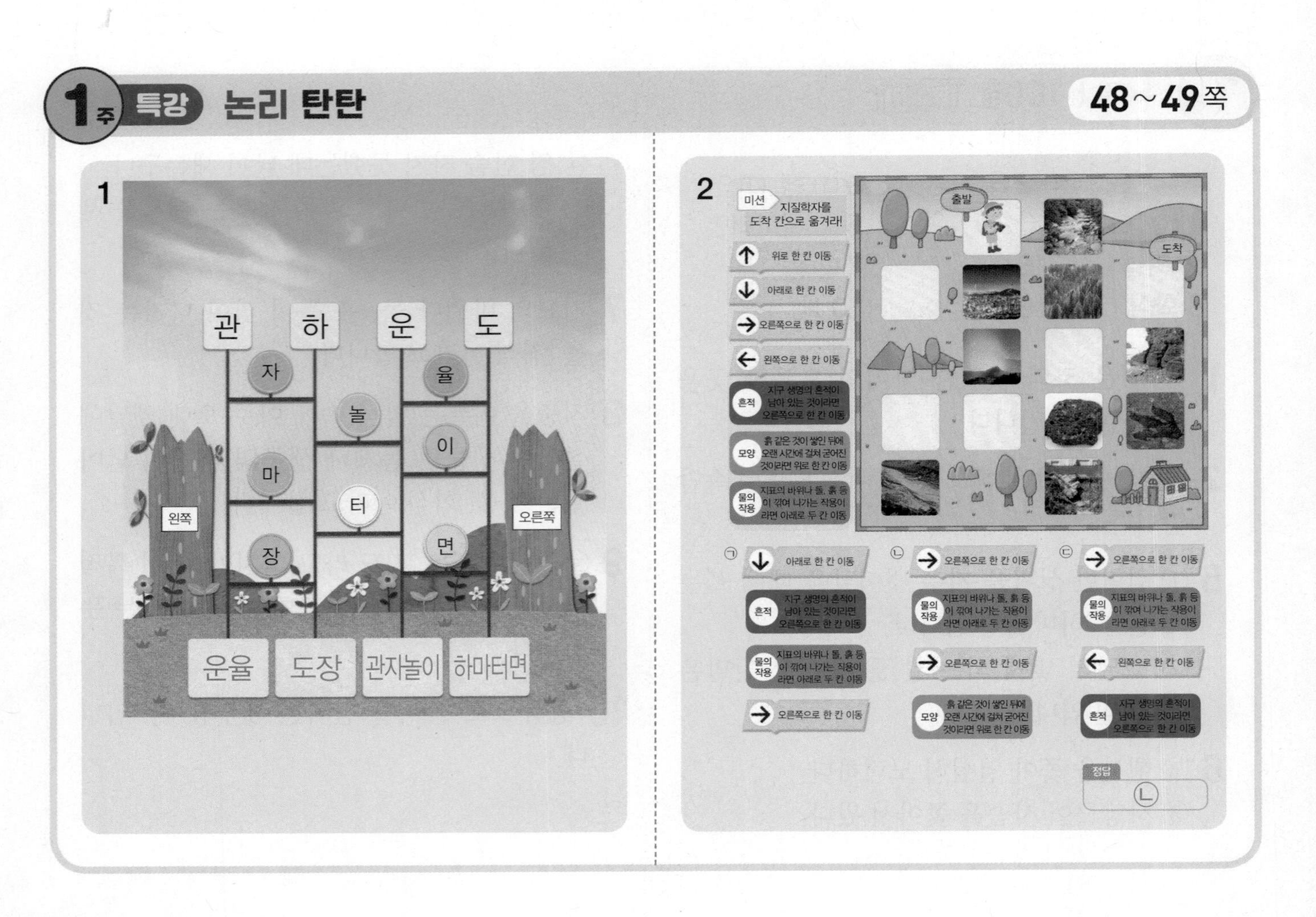

2주 정답과 풀이

2주에는 무엇을 공부할까? 52~53쪽

1 (1) 조카 (2) 이모 2 (1) ○ 3 (3) × 4 (1) ○

1일 주제 어휘 58~59쪽

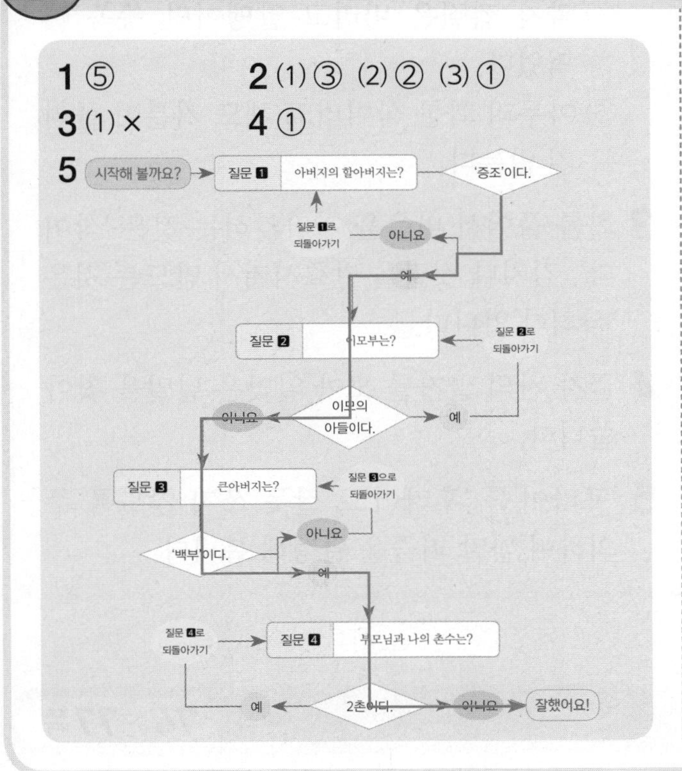

1 아버지 집안과 어머니 집안에 있는 사람들을 뜻하는 말은 '친척'입니다.

2 부모님 형제의 아들딸은 나와 촌수로 4촌 관계이므로 '사촌'이라고 부릅니다.

3 이모부는 이모의 남편, 고모부는 고모의 남편을 뜻하는 말입니다. '숙부'는 작은아버지, '숙모'는 작은어머니, '백부'는 큰아버지, '백모'는 큰어머니입니다.

4 촌수는 친척 사이의 멀고 가까운 정도를 나타내는 말로, 부모님과 나는 1촌입니다.

5 아버지의 할아버지는 '증조'이고, 이모부는 이모의 남편입니다. 큰아버지는 '백부'와 같은 말이고, 부모님과 나의 촌수는 1촌입니다.

2일 교과 어휘 국어 64~65쪽

1 의견 2 (1) 주 (2) 근

3 ⑤ 4 ②

5 ❶ 근거 ❷ 의견

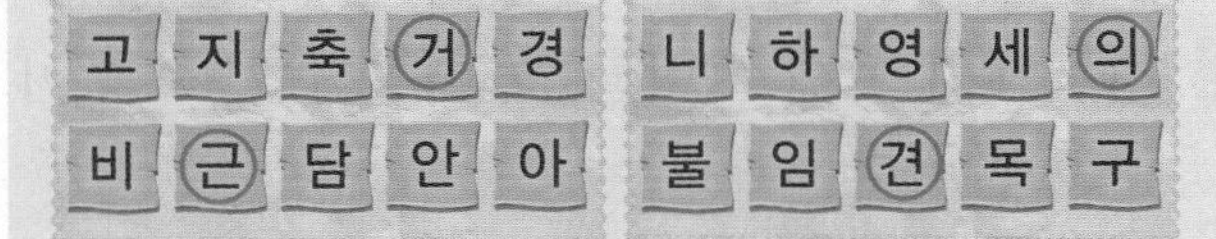

❸ 주장 ❹ 자료

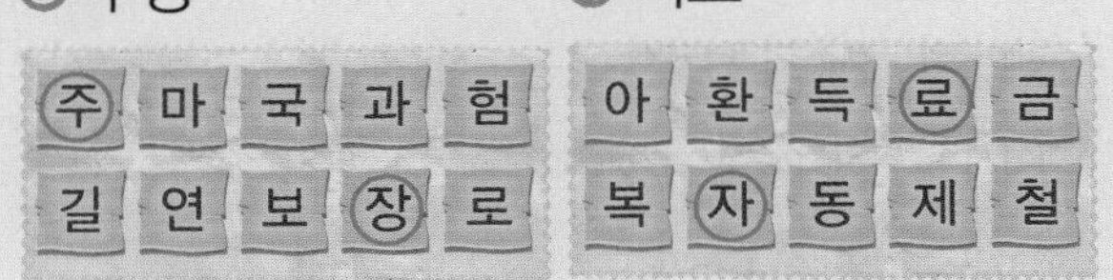

1 의견에 대한 설명입니다.

2 어떤 문제에 대한 주된 의견은 '주장', 주장을 뒷받침하는 까닭은 '근거'입니다.

3 근거는 주장을 잘 뒷받침할 수 있어야 합니다.

4 도표는 확인하기 쉽고, 한눈에 이해하기 쉬운 근거 자료이므로 자세히 읽어야 정보를 알 수 있다는 설명은 틀렸습니다.

5 뜻을 보고 설명하는 낱말을 글자판에서 찾아봅니다.

3일 알쏭 어휘 70~71쪽

1 (1) ② (2) ① 2 ①
3 (1) 삭이고 (2) 삭힌
4 ❶ 금세 ❷ 삭힌 ❸ 프라이
5

		알
		맹
프	라	이

1 '알갱이'는 '쌀 알갱이'와 같이 쓰여 '열매나 곡식 따위의 낱알'을 뜻하고, '알맹이'는 '사탕 알맹이'와 같이 쓰여 '물건의 껍데기나 껍질을 벗기고 남은 속 부분'을 뜻하는 낱말입니다.

2 '음식을 기름에 지지거나 튀기는 일. 또는 그렇게 만든 음식'은 '프라이'이므로 '달걀 프라이'는 알맞게 쓰였습니다.

바르게 고쳐 쓰기
② 태호가 전학을 간다는 소문이 금세 퍼졌다.
③ 우리 조상들은 생선을 삭혀 젓갈을 만들었다.
④ 과자 껍질은 버리고 알맹이만 쏙쏙 빼 먹었다.
⑤ 아무리 화를 삭이려고 해도 기분이 풀리지 않는다.

3 화를 풀어서 마음을 가라앉히는 것은 '삭이다', 김치나 젓갈을 발효시켜서 만드는 것은 '삭히다'입니다.

4 글자 칸의 글자를 모아 알맞은 낱말을 찾아 씁니다.

5 '프라이'를 '후라이'로 잘못 쓰지 않도록 주의하며 낱말 퍼즐을 완성해 봅니다.

4일 교과 어휘 사회 76~77쪽

1 ❶ 위 ❷ 실제 2 약도 3 ① 4 ③
5 ❶ 축척 ❷ 약도 ❸ 노선도 ❹ 소축척
❺ 안내도

1 지도는 위에서 내려다본 땅의 실제 모습을 줄여서 나타낸 그림입니다.

2 약도는 간략하게 줄여서 중요한 것만 나타내었으므로 역이나 큰 건물의 위치가 강조되어 원하는 곳을 쉽게 찾아갈 수 있습니다.

3 지도에서 실제 거리를 줄인 정도를 '축척'이라고 합니다.

4 지도의 오른쪽 아래에 축척이 표시되어 있습니다. 제시된 지도는 지도에서 실제 거리 2km를 지도에서 1cm로 표현한 것입니다.

5 설명을 보고 낱말을 찾아봅니다.

5일 한자 어휘 82~83쪽

1 ① 2 ③, ④ 3 ❶ 민요 ❷ 농민 ❸ 시민
4 ❶ 예 원주민 ❷ 예 원래 그곳에 살던 사람. / ❶ 예 이주민 ❷ 예 다른 곳에서 옮겨 와 사는 사람.
5

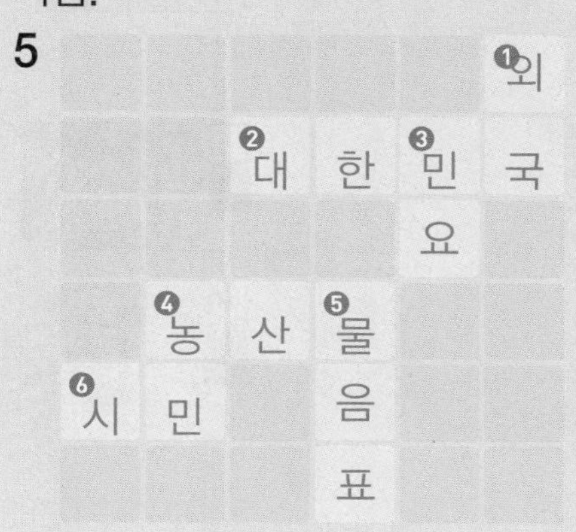

1 '국가', '한국', '외국'에 공통으로 쓰인 '국'은 國(나라 국)입니다.

2 '국수'와 '미역국'에 들어간 '국'은 國 자가 아닙니다.

3 '민요'는 백성들이 부르는 노래, '농민'은 농사짓는 사람, '시민'은 도시에 사는 사람을 뜻하는 낱말입니다.

4 민(民) 자가 들어간 민가, 민속놀이, 민주주의 등의 낱말을 찾아보고 그 뜻도 함께 익혀 봅니다.

5 가로와 세로 낱말 풀이를 보고 어떤 낱말이 들어갈지 생각하여 십자말풀이를 완성해 봅니다.

2주 누구나 100점 TEST 84~85쪽

1 조카	2 ④	3 ②
4 ㉠	5 금세	6 ②
7 (1) ① (2) ②		8 ③
9 민	10 ①	

1 부모님의 남자 형제를 '삼촌'이라고 부르고, 형제자매의 자식을 '조카'라고 부릅니다.

2 아버지의 할아버지는 '증조할아버지', 할아버지의 할아버지는 '고조할아버지'입니다.

3 어떤 문제에 대하여 가지는 생각을 '의견'이라고 합니다. 비슷한 뜻으로 어떤 문제에 대한 나의 생각을 '주장'이라고 합니다.

4 ㉠은 글쓴이의 주장이고 나머지는 주장을 뒷받침하는 근거입니다.

5 '지금 바로'를 뜻하는 '금시'에 '에'가 붙은 '금시에'를 줄여 쓴 말은 '금세'입니다.

6 약도에 대한 설명과 약도가 제시되어 있습니다. '축척'은 지도에서 땅을 줄인 정도를 뜻하는 말이고, 축척을 작게 한 지도를 '소축척 지도', 축척을 크게 한 지도를 '대축척 지도'라고 합니다.

7 넓은 면적을 많이 줄여서 나타낸 소축척 지도는 다른 지역과의 관계를 잘 보여 주고, 대축척 지도는 소축척 지도보다 나타내는 범위는 좁지만 그 지역을 자세히 살펴볼 수 있습니다.

8 자기 나라가 아닌 다른 나라는 외국(外國)입니다.

9 民은 '민'이라고 읽습니다. '어민'은 물고기 잡는 일을 하는 사람을 뜻합니다.

10 國(나라 국)民(백성 민)이라고 씁니다.

2주 특강 사고 쑥쑥

88~89쪽

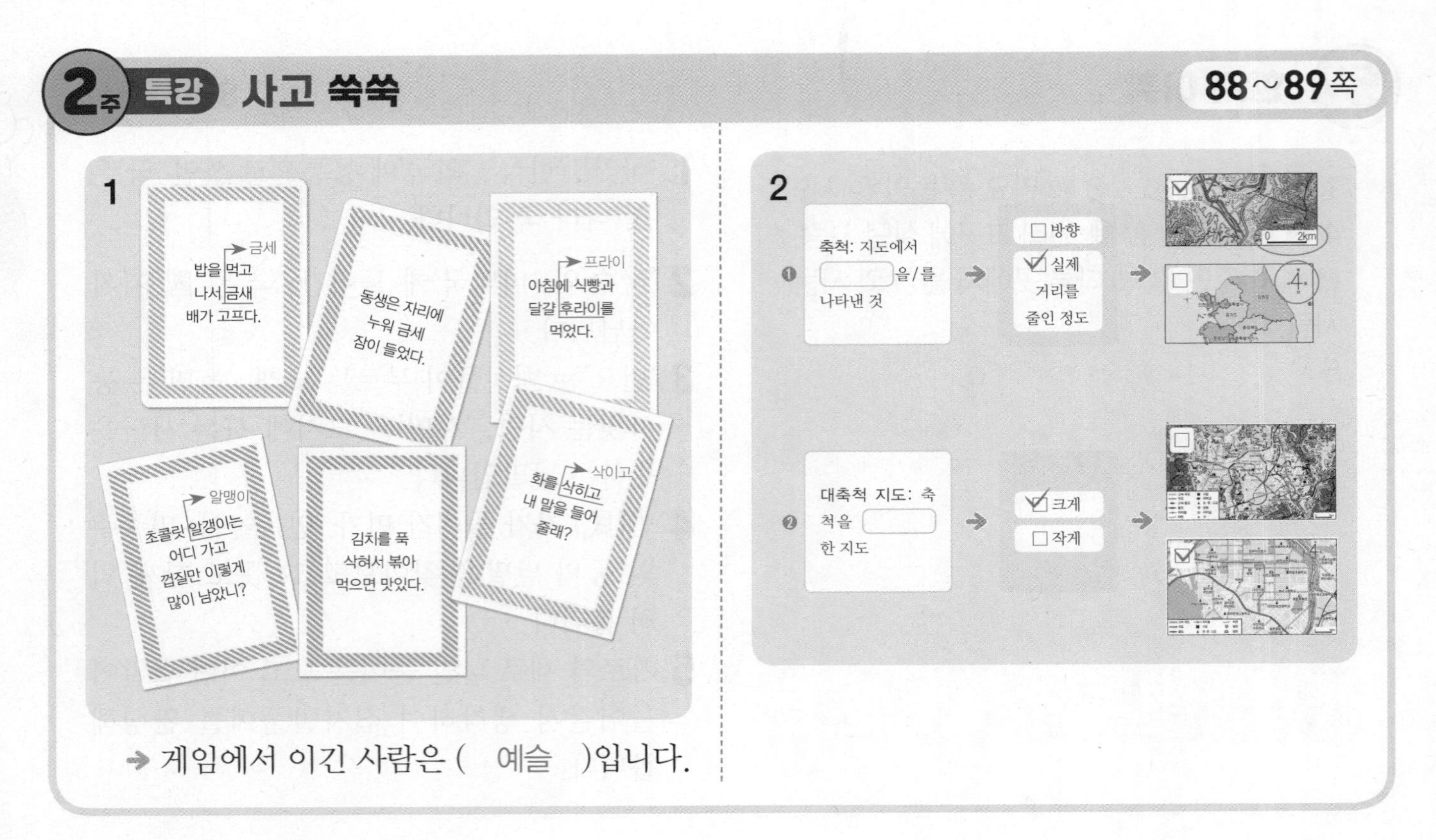

→ 게임에서 이긴 사람은 (예슬)입니다.

2주 특강 논리 탄탄

90~91쪽

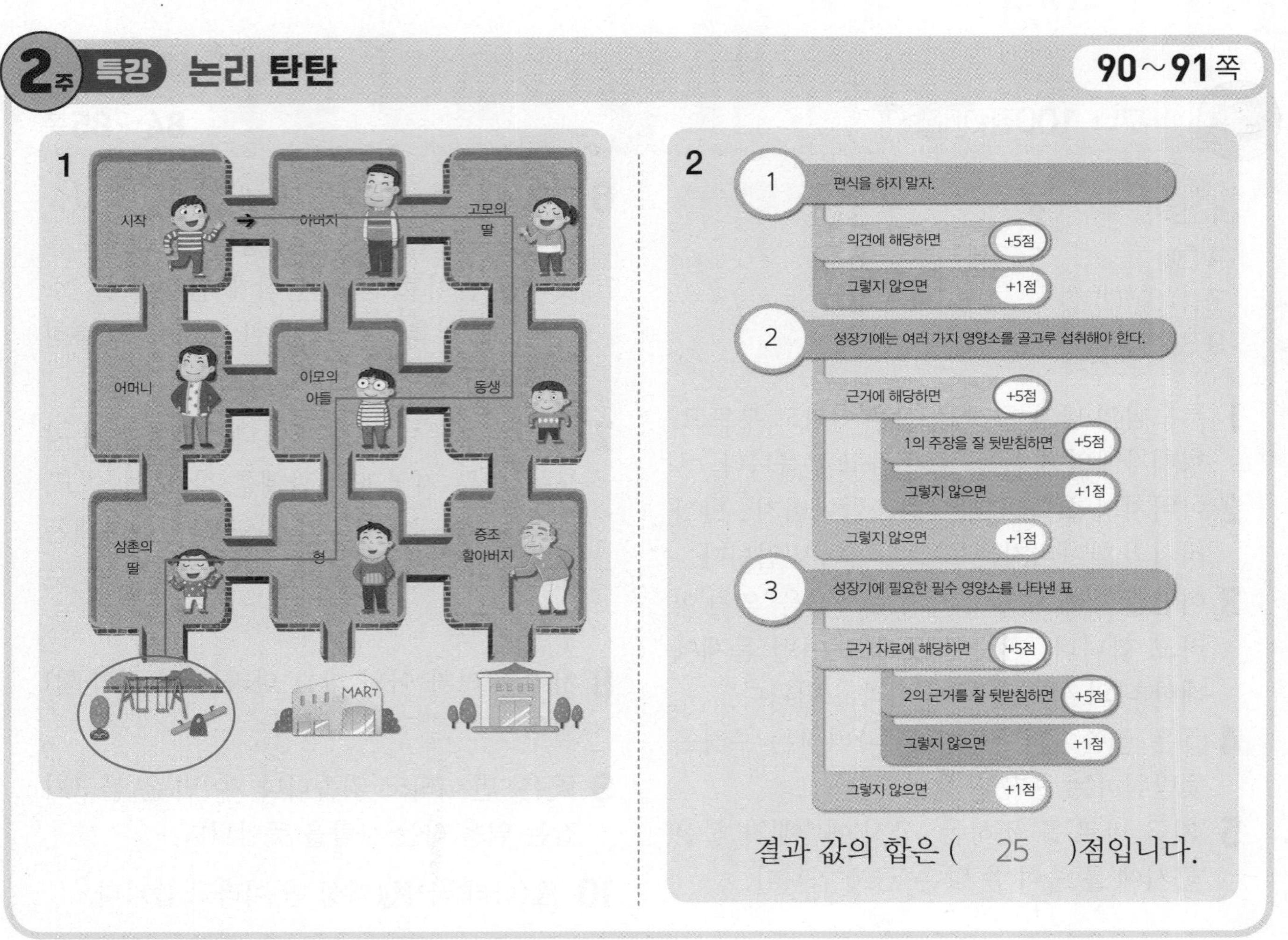

결과 값의 합은 (25)점입니다.

3주에는 무엇을 공부할까? 94~95쪽

1 (1) 무더위 (2) 후텁지근

2 낙타

3 증발

4 우

1일 주제 어휘 100~101쪽

1 ②　　2 (1) ×　　3 ①

4 (1) ③ (2) ② (3) ①

5

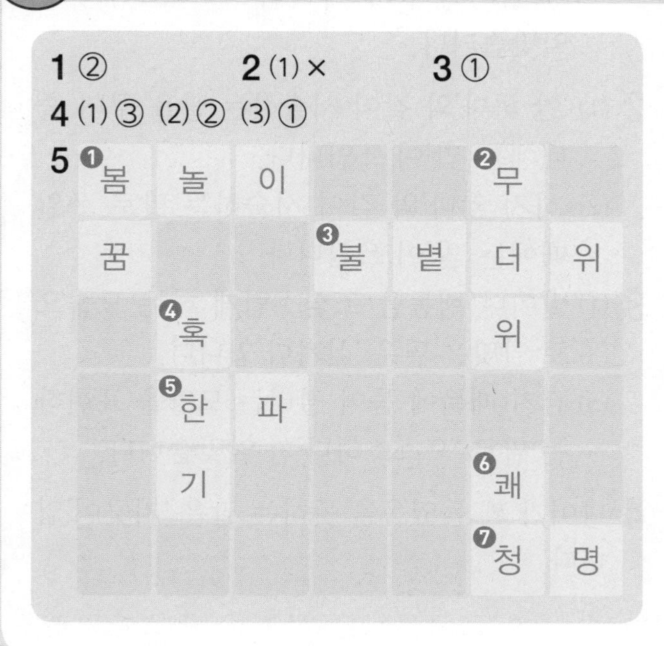

1 '꽃샘'은 '이른 봄, 꽃이 필 무렵의 추위'입니다.

2 '삼한 사온'은 '사흘 동안 춥고 나흘 동안 따뜻한 겨울 날씨'를 가리킵니다.

3 여름철 여러 날 계속해서 비가 내리는 날씨를 '장마'라고 합니다.

4 (1) '조금 불쾌할 정도로 끈끈하고 무더운 기운이 있다.'를 '후텁지근하다'라고 합니다.
(2) '날씨가 맑고 밝다.'는 '청명하다'입니다.
(3) '겨울 날씨가 춥지 않고 따뜻하다.'를 '푹하다'라고 합니다.

2일 교과 어휘 국어 106~107쪽

1 ④　　2 로봇　　3 ㉠

4 옛날에는 어떤 과자를 먹었을까

5

1 운동 경기에서 책임지고 심판하는 사람을 '주심'이라고 합니다.

2 로봇의 종류에 대해 설명하는 글이므로 중심 낱말은 '로봇'입니다.

3 중심 문장은 글의 중심 생각이 담겨 있는 문장입니다. 옛날 우리나라 집의 형태에 대해 설명하는 글이므로 중심 문장은 ㉠입니다.

4 약과, 강정, 엿은 모두 옛날에 먹었던 과자로 「옛날에는 어떤 과자를 먹었을까」가 글의 제목으로 알맞습니다.

3일 알쏭 어휘 112~113쪽

1 (1) 지그시 (2) 삼가 (3) 으스스하다
2 (1) 안 (2) 않 (3) 않
3 (1) 삼가 (2) 지그시 (3) 으스스
4 지긋이
5

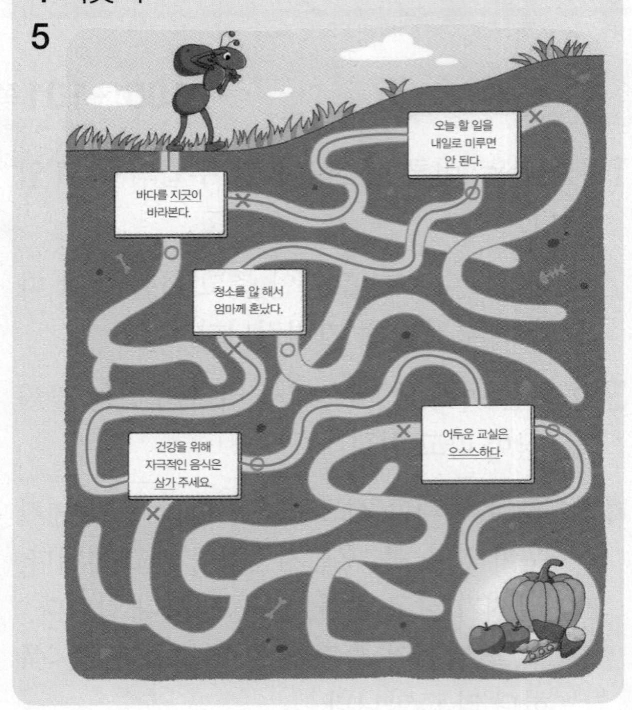

1 (1) 슬며시 힘을 주는 모양은 '지긋이'가 아니라 '지그시'입니다.
(2) '꺼리는 마음으로 그 횟수를 지나치지 않게 줄이다.'라는 뜻으로 '삼가하다'가 아니라 '삼가다'가 알맞습니다.
(3) 몸에 소름이 돋는 느낌을 표현하는 말로 '으시시하다'가 아니라 '으스스하다'가 알맞습니다.

2 (1) '안 하다'와 같이 서술하는 말을 꾸며 줄 때에는 '안'이 쓰입니다.
(2) '하지 않다'와 같이 서술하는 말로 쓰일 때에는 '않'이 쓰입니다.

3 (1) 말이나 행동을 조심스럽게 하는 모습으로 알맞은 말은 '삼가다'입니다.
(3) 감기 때문에 몸이 떨리는 모양을 표현하는 말로 '으스스하다'가 알맞습니다.

4 나이가 꽤 들었음을 뜻하는 말은 '지긋이'입니다.

4일 교과 어휘 과학 118~119쪽

1 ⑤　　2 수증기
3 (3) ○　　4 ③
5 (1) 상태 변화

상	수	증	화	물
기	태	변	얼	음

(2) 증발

증	전	소	식	드
염	발	곡	금	라

(3) 끓음

끓	보	전	자	가
리	음	녹	임	데
차	주	얼	림	움

(4) 응결

응	이	비	땀	액
구	결	개	체	고
름	슬	안	팔	기

1 물을 끓이면 물의 양이 줄어들고 거품이 생기는 것은 '끓음'과 관련된 현상입니다.

2 물의 상태 변화로 생긴, 색도 없고 냄새도 없는 투명한 기체를 '수증기'라고 합니다.

3 (1) '증발'은 젖은 빨래를 널어놓으면 빨래가 마르는 현상과 관련이 있습니다.
(3) 거미줄에 이슬이 맺히는 것과 관련 있는 현상은 '응결'입니다.

4 물을 얼리면 얼음이 되는 것은 액체 상태가 고체 상태로 변하는 것입니다.

5일 한자 어휘

124~125쪽

1 ② 2 (1) 풍력 (2) 우산 (3) 우박
3 (1) ③ (2) ② (3) ① 4 풍
5 ⑤ 6 (1) ② (2) ③ 7 雨

1 '강풍'은 세게 부는 바람을 말합니다. 낱말의 뜻을 통해 낱말에 쓰인 '풍'이 바람을 뜻하는 것을 알 수 있습니다.

2 (1) 바람이 부는 기세 또는 세기를 가리키는 말은 '풍력'입니다. '풍속'은 바람의 속도를 가리킵니다.
(2) 비를 가리기 위해 사용하는 물건은 '우산'입니다.
(3) 큰 물방울들이 공중에서 갑자기 찬 기운을 만나 얼어 떨어지는 얼음덩어리는 '우박'입니다.

3 (1)은 '비를 가리는 물건', (2)는 '바람의 속도', (3)은 '비가 오는 날씨'를 가리킵니다.

4 순풍은 배가 가는 쪽으로 부는 바람을 뜻하고, 강풍은 세게 부는 바람을 뜻합니다. 빈칸에 알맞은 글자는 바람을 뜻하는 '풍'입니다.

5 우정은 '친구 사이의 정'이므로, 우정의 '우'는 친구를 뜻하는 友(벗 우) 자가 쓰입니다.

6 (1) 비를 가리기 위해 사용하는 물건인 '우산'을 한자로 쓰면 '雨傘'입니다.
(2) 바람의 속도를 뜻하는 '풍속'을 한자로 쓰면 '風速'입니다.

7 일정한 기간 동안 일정한 곳에 내린 비의 양을 뜻하는 '강우량'을 한자로 쓰면 '降雨量'입니다.

3주 누구나 100점 TEST

126~127쪽

1 (1) 무더위 (2) 한파 (3) 꽃샘 2 ①
3 중심 문장 4 ① 5 ⑤
6 (1) ② (2) ① 7 ③
8 (1) 응결 (2) 끓음 9 ㉢
10 (1) 순풍 (2) 우산 (3) 우천

1 (1) 습도가 높아 찌는 듯 견디기 힘든 더위는 '무더위'입니다.

2 '애가지'는 봄철에 새로 돋는 어리고 연한 나뭇가지를 뜻하는 말로, 봄과 관련한 날씨를 나타내는 낱말입니다.

3 글이나 문단에서 가장 중요한 문장을 '중심 문장'이라고 합니다.

4 중심 낱말은 '책'입니다.

5 '안 가져오다'와 같이 서술하는 말을 꾸며 줄 때에는 '않'이 아니라 '안'을 씁니다.

6 (2) 몸에 소름이 돋는 느낌을 표현하는 말은 '으스스하다'입니다.

7 빨래가 시간이 지나면서 마르는 것은 물이 증발하는 현상입니다.

8 (1) 얼음이 든 유리컵의 겉면에 물방울이 맺히는 것은 기체인 수증기가 물로 응결되는 현상입니다.

9 단풍의 '풍'은 楓(단풍 풍) 자입니다.

10 (1) 배가 가는 쪽으로 부는 바람은 '순풍'입니다.
(3) 비가 오는 날씨는 '우천'입니다.

3주 특강 사고 쑥쑥

130~131쪽

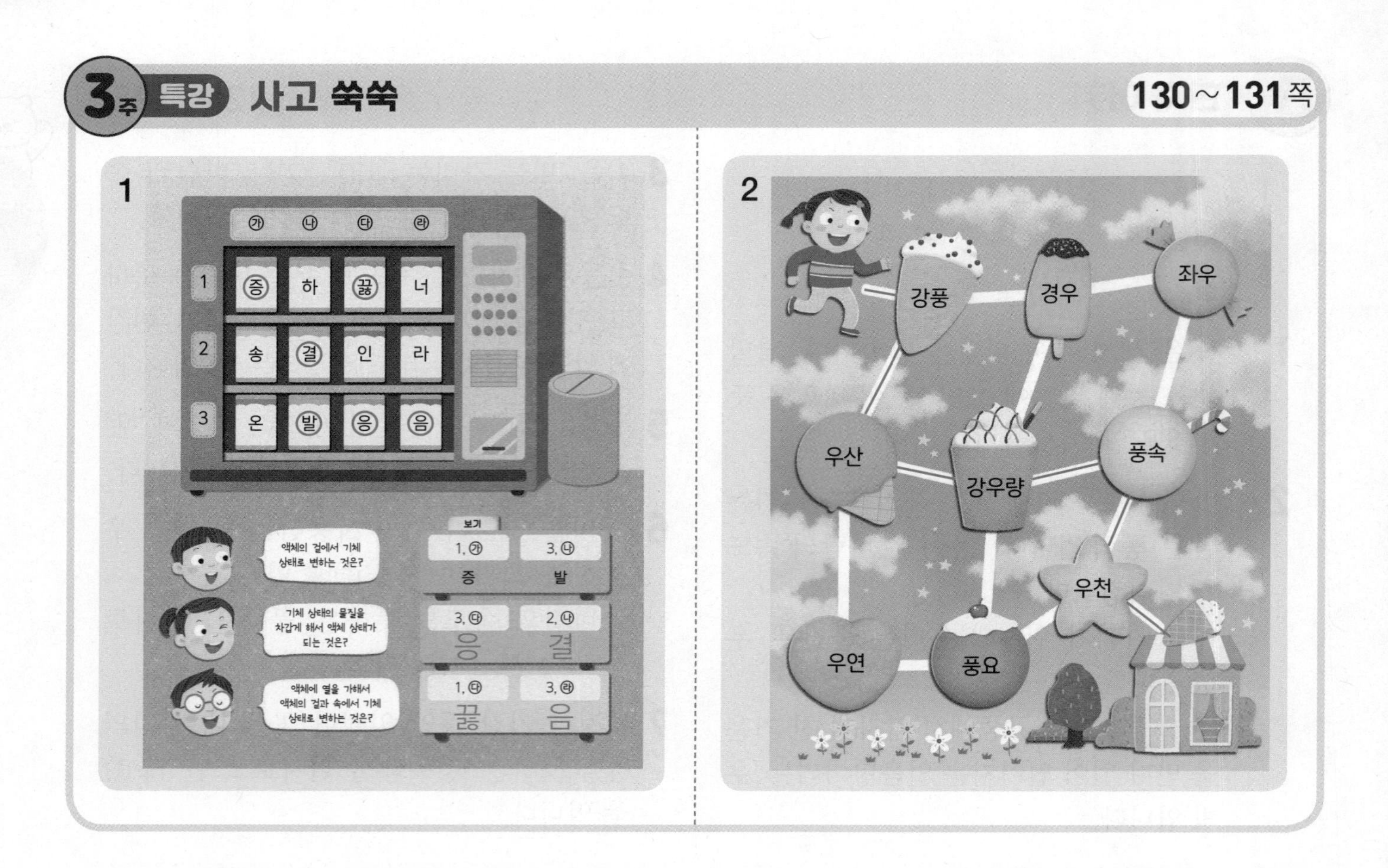

4주 정답과 풀이

4주에는 무엇을 공부할까?

134~135쪽

1 새벽 → 아침 → 점심 → 저녁 → 한밤

2 (1) 오전 (2) 자정

3 (1) 왜냐하면 (2) 그래서

4 깍듯이

1일 주제 어휘

140~141쪽

1 ⑤ 2 ㉠ → ㉢ → ㉡

3 ⑤ 4 (1) ①, ③ (2) ②

5

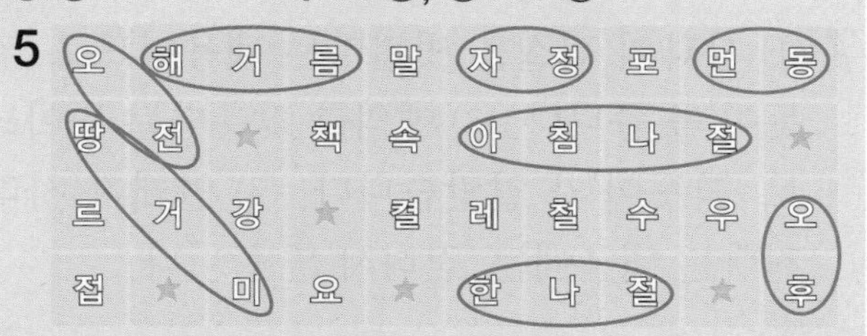

6 (1) 먼동 (2) 땅거미

2 '갓밝이'가 처음에 오고, 그다음 '정오', 그다음 '해거름'의 순서가 알맞습니다.

3 '해가 진 뒤 어스름한 때'를 뜻하는 말은 '땅거미'입니다.

4 '지금이 몇 시인가요?'와 '오늘 몇 시에 만나기로 했죠?'는 시각을 묻는 말입니다.

6 '먼동'은 주로 '먼동이 틀 무렵' 처럼 쓰고 '땅거미'는 '내리다'나 '깔리다'와 함께 쓰입니다.

2일 교과 어휘 국어

146~147쪽

1 (1) 결과 (2) 원인 2 ② 3 ②

4 (1) 그래서 (2) 그리고 (3) 왜냐하면 (4) 그래서

5 (1)

한	(과)	불	귤	감
주	요	처	장	(결)

, 결과

(2)

세	(그)	여	의	게
랑	무	(래)	전	술
열	예	본	(서)	행

, 그래서

(3)

문	글	중	(러)	받
문	(그)	중	뒷	송
침	주	목	(나)	단

, 그러나

6 ⑤

1 '어떤 일을 일어나게 만든 까닭'을 원인, 그 원인 때문에 일어난 일을 결과라고 합니다.

2 원인이 되는 사건이 있고, 그에 대한 결과가 되는 사건이 있을 때, 두 사건 사이에 '인과 관계'가 있다고 말할 수 있습니다.

3 '그리고'는 비슷한 내용을 늘어놓을 때에 사용할 수 있는 말입니다.

4 (1), (4)는 앞 문장이 원인, 뒷 문장이 결과이므로 '그래서'가 알맞습니다. (2)는 인과 관계가 드러나지 않습니다. (3)의 앞이 결과, 뒤가 원인이므로, '왜냐하면'이 알맞습니다.

6 앞의 내용이 결과, 뒤에 나오는 내용이 원인이므로, '왜냐하면'을 넣을 수 있습니다.

3일 알쏭 어휘

152~153쪽

1 (1) 걷히다 (2) 해코지 (3) 거치다
2 ②
3 (1) 깍듯이 (2) 거쳐서 (3) 해코지 (4) 걷혀서
4 (1) ○　5 ③　6 ③
7 (1) 깎듯이 (2) 깍듯이 (3) 걷혀서

1 '구름이나 안개가 흩어져 없어지다'를 뜻하는 말은 '걷히다', 남을 해치고자 하는 짓은 '해코지', 오가는 도중에 어디를 지나거나 들른다는 뜻으로 쓰는 말은 '거치다'입니다.

2 '못하다'는 어떤 일을 할 능력이 없을 때 사용하는 표현입니다.

3 (1) 예의범절을 잘 갖춘다는 뜻으로 쓰는 말은 '깍듯이'입니다. (2) 오가는 도중에 어디를 지나거나 들를 때 '거치다'를 씁니다. (3) '해꼬지'는 틀린 말이므로, '해코지'와 같이 고쳐야 알맞습니다. (4) 구름이 사라질 때에는 '걷히다'를 사용합니다.

4 남을 해치고자 하는 짓을 '해코지'라고 합니다.

5 머리털을 자를 때 사용하는 '깎다'에는 쌍기역 받침이 들어가야 합니다.

6 '걷쳐서'를 '거쳐서'로 고쳐야 알맞습니다.

7 (1) 사과의 껍질을 벗긴다는 내용이므로 '깎듯이'를 씁니다. (2) 예의를 갖춘다는 뜻이므로 '깍듯이'가 알맞습니다. (3) 안개가 사라진다는 내용에는 '걷혀서'를 씁니다.

4일 교과 어휘 사회

158~159쪽

1 ④　2 저출산　3 ③
4 ②　5 ②
6

최	★	육	직	쾌	생
소	열	아	연	금	체
화	고	휴	효	저	노
고	점	직	지	출	인
물	령	떡	국	산	복
추	불	화	♥	질	지

1 '육아 휴직'은 저출산 현상에 대한 대책으로 볼 수 있습니다.

2 태어나는 아이가 점점 줄어들고 있다는 내용의 그림입니다.

3 전체 인구에서 노인이 차지하는 비율이 높아지는 현상을 '고령화'라고 합니다.

4 노인 복지를 위한 제도로, 연금이나 의료 서비스가 있습니다. 또, 요양 서비스나 돌봄 서비스도 노인 복지를 위한 제도입니다.

5 어떤 단체에 속한 사람이 더 이상 그 일을 하지 않게 됐을 때 매년 받는 돈을 '연금'이라고 합니다.

6 (1)은 '저출산', (2)는 '고령화', (3)은 '육아 휴직', (4)는 '노인 복지', (5)는 '연금'에 대한 설명입니다.

5일 한자 어휘

164~165쪽

1 ④	2 ⑤
3 ②	4 自立
5 (1) 운동 (2) 각자	6 ③
7 감동	8 (1) ㉣ (2) ㉠

1 '무엇에 얽매이지 않고 자기 마음대로 할 수 있는 상태'를 '자유'라고 합니다.

2 '자유', '자립', '자신', '자동'에 쓰인 '자'는 모두 自(스스로 자)입니다. '자식'에 쓰인 '자'는 子(아들 자)입니다.

3 '각자'의 뜻은 '각각의 자기 자신.'입니다. '남에게 의지하지 않고 스스로 섬.'은 '자립'의 뜻입니다.

4 '자립'은 한자로 自(스스로 자)와 立(설 립)을 사용하여 씁니다.

5 (1) 運動은 '운동'으로 읽습니다.

(2) 各自는 '각자'라고 읽어야 합니다.

6 공통으로 들어가는 '동'은 모두 動입니다.

7 크게 느끼어 마음이 움직일 때 '감동'을 쓸 수 있습니다. 한자로는 感(느낄 감)과 動(움직일 동)을 사용합니다.

8 (1) '자유'는 自(스스로 자)와 由(말미암을 유)를 사용하는 낱말입니다. (2) '동물'은 動(움직일 동)과 物(만물 물) 자를 합쳐서 만든 낱말입니다.

4주 누구나 100점 TEST

166~167쪽

1 (1) 아침 (2) 자정	2 (1) ㉢ (2) ㉠
3 ①	
4 (1) 왜냐하면 (2) 그래서	
5 ②, ④	6 ②
7 안 하네	8 ⑤
9 (1) 깍듯이 (2) 깎듯이	
10 (1) ㉠ (2) ㉠ (3) ㉡	

2 오전의 반대말은 오후이고, 정오의 반대말은 자정입니다.

3 어떤 단체에 속한 사람이 더 이상 그 일을 하지 않게 됐을 때 그 사람에게 매년 주는 돈을 '연금'이라고 합니다.

4 (1) 어제 결석했다는 내용이 결과, 많이 아팠다는 내용이 원인이므로, '왜냐하면'으로 이어 주는 것이 알맞습니다.

(2) 선생님께 칭찬을 받았다는 내용이 원인, 기분이 좋다는 내용이 결과에 해당하므로, '그래서'로 이어 줄 수 있습니다.

5 앞의 내용과 반대될 때, '그러나', '하지만' 등으로 이어 줄 수 있습니다.

6 요양 서비스나 돌봄 서비스는 '노인 복지'를 위한 제도에 해당합니다.

7 '못하다'는 어떤 일을 할 능력이 없음을 뜻하므로, 그림에 어울리지 않습니다.

9 '예의범절을 갖추는 태도로.'는 '깍듯이', '물건의 거죽이나 표면을 얇게 벗겨내듯이.'는 '깎듯이'의 뜻입니다.

10 '자립'과 '각자'에 쓰인 '자'는 自(스스로 자)입니다. '운동'에 쓰인 '동'은 動(움직일 동)입니다.

4주 특강 사고 쑥쑥

170~171쪽

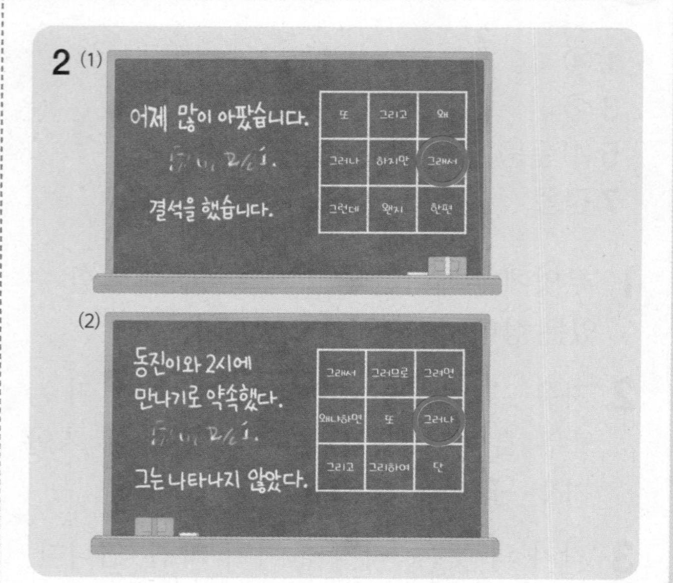

1 $+3-1-1+3+3+3=10$이므로 계산한 숫자는 10입니다.

2 (1) 앞의 문장이 원인, 뒤의 문장이 결과이므로 '그래서'가 알맞습니다. (2) 서로 반대되는 내용이므로 '그러나'를 씁니다.

정답은
이안에
있어 !

똑 똑 한

하루 어휘

배움으로 행복한 내일을 꿈꾸는

천재교육 커뮤니티 안내

교재 안내부터 구매까지 한 번에!

천재교육 홈페이지

천재교육 홈페이지에서는 자사가 발행하는 참고서,
교과서에 대한 소개는 물론 도서 구매도 할 수 있습니다.
회원에게 지급되는 별을 모아 다양한 상품 응모에도
도전해 보세요.

구독, 좋아요는 필수! 핵유용 정보 가득한

천재교육 유튜브 <천재TV>

신간에 대한 자세한 정보가 궁금하세요?
참고서를 어떻게 활용해야 할지 고민인가요?
공부 외 다양한 고민을 해결해 줄 채널이 필요한가요?
학생들에게 꼭 필요한 콘텐츠로 가득한 천재TV로 놀러 오세요!

다양한 교육 꿀팁에 깜짝 이벤트는 덤!

천재교육 인스타그램

천재교육의 새롭고 중요한 소식을 가장 먼저 접하고 싶다면?
천재교육 인스타그램 팔로우가 필수!
누구보다 빠르고 재미있게 천재교육의 소식을 전달합니다.
깜짝 이벤트도 수시로 진행되니 놓치지 마세요!